HARMONIE IN UW TUIN MET
FENG SHUI

HARMONIE IN UW TUIN MET
FENG SHUI

R O N I   J A Y
MET ADVIES VAN RICHARD CRAZE

Oorspronkelijke titel: Feng Shui in your garden
Oorspronkelijke uitgave: 1998 door Thorsons,
an imprint of Harper Collins Publishers,
London W6 8JB, U.K.

COPYRIGHT © 1998 GODSFIELD PRESS

Text © 1998 Roni Jay

Tweede druk, 1999
Copyright voor de Nederlandse vertaling © 1998 Van Reemst
Uitgeverij/Unieboek b.v., Postbus 97, 3990 DB Houten
Vertaling: Monique Eggermont
Zetwerk: ZetSpiegel, Best

ISBN 90 410 0709 1
NUGI: 411/626

Voor informatie over Feng Shui:
Feng Shui Society of Holland
C. H. M. Hoekx
2e Helmerstraat 38
1054 CK Amsterdam
Tel/fax 020 - 4125 848

VAN REEMST
UITGEVERIJ
HOUTEN

Inleiding

ENG SHUI IS *een oude Chinese kunst waarmee u uw gezondheid, succes en geluk kunt bevorderen door harmonie te scheppen in uw omgeving. De woorden feng shui (spreek uit 'fang sjoewee') betekenen 'wind' en 'water'; de kosmische energie, die volgens de Chinezen overal in aanwezig is, stroomt als wind en als water. De kunst is deze energiestroom zo te beïnvloeden dat er zoveel mogelijk voorspoed uit voortvloeit. In veel boeken staat hoe u deze principes kunt aanwenden voor uw huis en werkplek; dit boek richt zich op uw tuin.*

Er zijn twee manieren om een goede feng shui te realiseren, en beide worden van oudsher samen toegepast. De eerste is het kiezen van uw omgeving in overeenstemming met zijn feng shui, zodat die van nature in uw voordeel werkt. Maar omdat niet alles perfect is, richt de tweede aanpak van feng shui zich op die aspecten die nog niet helemaal geslaagd zijn.

EEN PERFECTE FENG SHUI

Harmonie in uw tuin met feng shui laat u zien hoe u perfecte harmonie kunt scheppen. Als u een nieuw huis zoekt, helpt het u bij de beslissing of het geschikt voor u is. Als u een tuin gaat ontwerpen, kunt u de technieken in dit boek gebruiken om te zorgen dat u bereikt wat u wilt. Als u al een tuin hebt, reikt dit boek u allerlei technieken en ideeën aan om de feng shui te bevorderen.

Het toepassen van feng shui in uw tuin hoeft geen grote, kostbare gevolgen te hebben. Soms maken kleine veranderingen al heel wat verschil uit voor de energiestroom in uw tuin. Misschien scheelt het al als u paden en bloembedden aanlegt, of hoeft u slechts een grote struik te snoeien, of een vogelbad te maken, of in een bepaald deel van de tuin een andere kleur bloemen te planten. U kunt vaak grootscheepse veranderingen realiseren met behulp van eenvoudige

De kleuren van de bloemen kunnen de feng shui van uw tuin bevorderen. In deze traditionele Engelse border zijn intuïtief felle kleuren gekozen om de energiestroom op te wekken.

technieken zoals het plaatsen van een ornament of het terugsnoeien van een al te volle begroeiing.

Iedereen wil iets anders van zijn tuin. Wat u er ook van wilt – een meditatieruimte, een veilige speelplek voor de kinderen, een ruimte om vrienden te ont- vangen of een moestuin – met feng shui zal het u lukken.

DEEL EEN

De Principes van Feng Shui

De Principes van Feng Shui

VOLGENS DE *Chinese traditie bevat alles op de wereld kosmische energie, ofwel ch'i. Ch'i moet onbelemmerd door de omgeving stromen om harmonie te kunnen creëren. Deze stroom kan echter geblokkeerd worden, doodlopen, door tunnels of over obstakels heen voeren. Dit veroorzaakt disharmonie in uw leven. Ch'i wordt gestimuleerd of afgeschrikt door bepaalde vormen, kleuren, geluiden en beweging; de kunst van feng shui is een gelijkmatige, evenwichtige stroom te realiseren.*

Om feng shui goed te kunnen begrijpen, moet u het principe van yin en yang kennen dat centraal staat in het taoïsme, de aloude Chinese religie. Volgens het taoïsme bevat alles in het universum ch'i: kosmische levenskracht; en ch'i zelf is een combinatie van twee soorten energie: yin en yang. Yin energie staat voor het vrouwelijke, en yang voor het mannelijke principe. Maar yin en yang zijn meer dan dat. Yang energie staat voor elementen als openheid, licht, warmte, zomer en de dag. Het vertegenwoordigt de geest. Yin daarentegen heeft betrekking op schaduw, duister, kou, winter, nacht, en alles wat daarmee samenhangt. Het vertegenwoordigt de materie.

Alles bevat yin of yang ch'i. Voedsel, lichaamsdelen, planten – alles.

Maar aangezien ch'i zowel yin als

YANG

Geest, Mannelijk, Dag, Licht, Zon, Zomer, Droog, Hard, Warmte, Creatief, Actief, Positief, Lucht, Hemel, Zuiden, Buitenkant

YIN

Materie, Vrouwelijk, Nacht, Duister, Schaduw, Winter, Nat, Zacht, Koud, Receptief, Passief, Negatief, Aarde, Schepping, Noorden, Binnenkant

---

yang in zich heeft, is het onmogelijk dat iets puur het een of het ander is – er moet altijd een zeker evenwicht bestaan. Yin en yang zijn niet elkaars tegengestelde; ze vullen elkaar aan. Daarom ziet het yin-yang symbool er ook zo uit: het witte

yang-gedeelte heeft een zwarte yin-stip, en de zwarte yin-kant heeft een witte yang-stip.

Als u uw omgeving meer in harmonie wilt brengen, zorg dan dat de ch'i die erdoorheen stroomt uit een evenwichtige verdeling van yin en yang bestaat. Te veel donkere yin-energie kan een zwaar, slaperig effect hebben, te veel yang-energie kan leiden tot overstimulering en onvoorspelbaarheid.

WAAR KOMT DE CH'I VANDAAN?

De ch'i die rond uw tuin (of uw huis, uw kantoor of waar ook) stroomt, moet ergens vandaan komen. Hij stroomt uw tuin binnen vanuit de omringende delen, door hekken, door gaten in de schutting, over muren en onder heggen door. En waar hij binnenkomt, heeft hij al zijn eigen soort energie, afhankelijk van de richting waaruit hij stroomt.

Ch'i uit het noorden is heel anders dan ch'i uit het zuiden. Westelijke en oostelijke ch'i zijn ook verschillend. Voor u op verbetering mag hopen, moet u weten met wat voor ch'i u te maken hebt. De Chinese traditie kent elk van de vier hoofdrichtingen een eigen symbool toe in de vorm van een dier; deze dieren symboliseren de energie uit de vier wind-streken.

rechts: *Een beeld in uw tuin kan een geweldig effect hebben. Op de juiste plaats kan het de ch'i stabiliseren en tevens oogstrelend werken.*

DE VIER
WINDSTREKEN

ZUID: Dit is de richting van de Rode Phoenix. De ch'i hieruit is zeer gunstig – het zuiden geldt in het algemeen als de beste ligging voor een huis of tuin. Ch'i uit het zuiden is vrolijk, blij, opgewekt, en vol energie. Maar het kan ook te veel van het goede zijn, en als uw tuin erg open op het zuiden ligt en de ch'i komt uit die richting binnen, kan hij over- weldigend worden. Deze ch'i is erg yang en moet wellicht wat gekalmeerd worden, vooral als u graag in uw tuin wilt mediteren of uitrusten na een vermoei- ende dag. (Technieken voor het kalmeren komen later aan bod.)

NOORD: De Zwarte Schildpad regeert het noorden en brengt voedende yin ch'i. Dit is uitstekend voor een tuin waar kinderen spelen, want het is zorgzaam en beschermend. Het kan echter slaap- verwekkend worden als u niet wat lichtere yang energie introduceert als tegenwicht.

WEST: Dit is de streek van de Witte Tijger, die onvoorspelbare, soms gevaar- lijke energie levert. Probeer een overdaad aan ch'i uit die richting te vermijden. Het kan echter in kleine doseringen ook een goede energie zijn om dode vlakken op

te peppen waar de ch'i geneigd is vast te lopen.

OOST: De richting van de Groene Draak. Ch'i uit het oosten is vriendelijk en wijs, en bevordert de groei. In grotere hoeveelheden echter kan het de tuin wat al te vruchtbaar maken met overbegroei- ing als gevolg.

DE OVERIGE
WINDSTREKEN

De vier tussenliggende windstreken heb- ben elk hun eigen ch'i, die zich kan manifesteren op positieve en negatieve manieren:

ZUIDWEST: Deze ch'i is geruststellend en zachtaardig, een combinatie van de kracht van de Phoenix die de soms gevaarlijke ch'i van de Tijger tempert. Als hij echter te sterk wordt, kan de yin energie de tuin domineren.

ZUIDOOST: Dit is een creatieve, fan- tasievolle energie, maar in te grote hoeveelheden kan hij overproductief en ergerlijk worden, waardoor het moeilijk is om rustig te ontspannen.

NOORDWEST: Deze ch'i is open en stil, brengt vrede en rust wanneer de slapende Schildpad en de veranderlijke Tijger in evenwicht zijn.

Het gevaar bestaat echter dat de

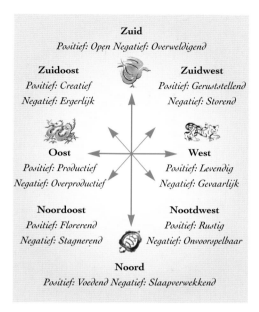

Zuid
Positief: Open Negatief: Overweldigend

Zuidoost
Positief: Creatief
Negatief: Ergerlijk

Zuidwest
Positief: Geruststellend
Negatief: Storend

Oost
Positief: Productief
Negatief: Overproductief

West
Positief: Levendig
Negatief: Gevaarlijk

Noordoost
Positief: Florerend
Negatief: Stagnerend

Nootdwest
Positief: Rustig
Negatief: Onvoorspelbaar

Noord
Positief: Voedend Negatief: Slaapverwekkend

Figuur 1: De acht windstreken
De Chinezen zetten altijd het zuiden boven aan hun feng shui kompas en plattegrond, aangezien dit de richting is van waaruit de meest positieve en gunstige ch'i stroomt.

balans doorslaat ten gunste van de Tijger, wat onvoorspelbare energie tot gevolg heeft.

NOORDOOST: Deze combineert de groei en de productiviteit van de Draak met de voedende energie van de Schildpad, waardoor een ideale omgeving voor planten ontstaat. Het risico is dat de energie van de Schildpad gaat overheersen en de ch'i geremd wordt.

DE ACHT GEBIEDEN

Uw tuin, of elk ander stuk grond, wordt voor de beoordeling van feng shui in acht stukken verdeeld. Elk hiervan heeft invloed op een ander aspect van uw leven, zoals relaties of gezondheid. Wanneer u eenmaal weet welk deel van uw eigen tuin welke van deze acht gebieden vertegenwoordigt, kunt u de principes van feng shui toepassen. U kunt elk deel van de tuin bekijken op het soort ch'i dat erin binnenstroomt, en dit beoordelen met betrekking tot het aspect van uw leven dat het beïnvloedt. Misschien komt u erachter dat een deel van uw tuin vol onvoorspelbare ch'i uit het westen zit. Als dit het deel is dat uw gezondheid beïnvloedt, hebt u misschien last van plotselinge aandoeningen. Of misschien blokkeert een hoge heg de weldadige ch'i die van het zuiden zou moeten binnenstromen; dit kan leiden tot stagnatie in dat deel van uw leven dat beïnvloed wordt door het zuidelijke deel van uw tuin.

Later bespreken we hoe u erachter komt welk deel van uw tuin elk van de acht gebieden in uw leven beïnvloedt en welke activiteiten het best passen in al die delen. We bekijken ook wat u kunt doen aan eventuele probleemgebieden.

Feng Shui in de Tuin

Kosmische energie — *ch'i* — *stroomt in en door alles heen. Voor een harmonieus geheel moet hij vrijelijk stromen, met flauwe bochten, zonder dat hij in zijn loop wordt onderbroken of gehinderd. Geef de ch'i in uw tuin richting om de grootst mogelijke harmonie te realiseren. Deze harmonie zal zijn weerslag ook op u hebben, zodat uw eigen stemmingen en levensloop een gunstiger wending nemen.*

LENEN UIT HET LANDSCHAP

De principes van feng shui worden ontleend aan eeuwenlange observaties van de natuur. Ch'i kan veranderen door de wind en het weer, en de oude Chinezen waren zich al bewust van de verschillende gevolgen van ch'i die over woeste rotsen gedreven wordt, of zachtjes over golvende heuvels geblazen, of tussen steile hellingen door. Ze leerden de ch'i te bedwingen om de gunstige werking als gevolg hiervan zoveel mogelijk te bevorderen.

Tegenwoordig wordt feng shui toegepast op gebouwen en interieurs, maar de natuur buiten is zijn originele thuis-

boven: *Zonder het vogelbadje dat contrasteert met het gebladerte zou dit hostabed saai overkomen – een plek waar de energie stilstaat.*

boven: *We willen allemaal iets anders met onze tuin,
feng shui helpt u het resultaat te bereiken dat u graag wilt.*

wereld. En de ch'i die rond uw huis stroomt, komt niet door de deuren en ramen zonder uw tuin te passeren. Dus het is logisch om daar te beginnen.

NATUURLIJKE GOEDE SMAAK

Er is nog een reden om aandacht te besteden aan de feng shui in uw tuin. Wat is het doel van feng shui? Harmonie en evenwicht. En waarvoor dient een tuin? Om ons in harmonie te voelen met de natuur. We gebruiken hem misschien om vrienden te ontvangen of groenten te verbouwen, maar bijna iedereen ziet de tuin als een plek om rustig in te zitten als we ons weer één willen voelen met de natuur.

Een van de grootste voordelen van een goede feng shui in uw tui is dat ch'i een heel goede smaak blijkt te hebben. Iedere verandering die u moet aanbrengen om de energie beter te laten stromen blijkt ook altijd esthetisch gezien een winstpunt.

Als u iets verandert om de ch'i te verbeteren zult u vaak bij uzelf denken: 'Zo is het veel mooier. Waarom heb ik dat niet eerder bedacht'?

Hoe ligt uw Tuin

B RENG, *om de feng shui van uw tuin te kunnen beoordelen en corrigeren, uw tuin in kaart. Hierop ziet u welke delen overeenkomen met de acht aspecten van uw leven die worden beïnvloed door feng shui. De voornaamste informatie die u nodig hebt om zo'n plattegrond (de zgn. pah kwa) te maken, is de ligging van uw tuin. Bepaal die dus voor u begint.*

Als u wilt weten in welke windstreek uw huis ligt, is dat heel eenvoudig: waar de voordeur op uitkomt. Maar met de tuin kan het iets lastiger te bepalen zijn. In het algemeen gesproken ligt uw tuin in de richting vanwaar u er normaal gesproken binnengaat. Dus als u er van de straat af inkomt, en de straat ligt op het zuiden, dan ligt uw tuin op het zuiden. Gaat u er meestal binnen door de achterdeur, in het noordwesten van de tuin, dan ligt de tuin op het noordwesten. Ligt de tuin apart van het huis en heeft hij een eigen ingang, dan is het de windstreek waar die op uitkomt.

GEBRUIK UW INTUITIE

Soms is een beetje intuïtie nodig om de windstreek waarin uw tuin ligt te bepalen. Ook al kunt u de technieken van feng shui toepassen volgens de regels en richtlijnen die hier worden uitgelegd, een goede intuïtie is altijd handig om probleemgebieden te herkennen of de beste manier te bepalen om een slechte energiestroom te corrigeren. Dus kunt u maar beter meteen gebruikmaken van uw intuïtie.

Als uw tuin meer dan één ingang heeft, kies er dan een waarop de tuin naar uw gevoel uitkomt.

Sommige tuinen hebben

HOE LIGT UW TUIN

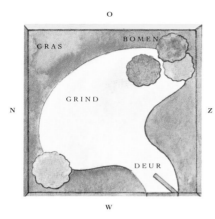

boven: Er is slechts één ingang naar deze ommuurde binnentuin, en het is dus gemakkelijk te bepalen dat hij op het westen ligt.

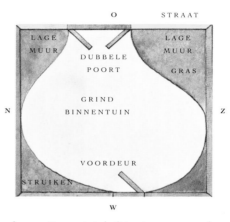

boven: Deze voortuin heeft twee ingangen, maar de hoofdingang is aan de straatkant, en dus ligt de tuin op het oosten.

zelfs drie of vier ingangen die allemaal gebruikt worden – wellicht een stel deuren achter in huis en een dubbele poort. U hoeft niet uit te zoeken welke ingang het meest gebruikt wordt. Ga in de tuin staan en bekijk welke richting voor u het meest dominant is.

ONGEBRUIKELIJKE TUINEN

Behalve tuinen met meerdere ingangen zijn er ook tuinen die niet in het patroon passen. U kunt daarbij aanvoelen dat ze in een richting liggen die niet per se de richting van de ingang hoeft te zijn. Een voorbeeld hiervan is een tuin op een rots, die duidelijk uitkijkt op zee in plaats van achter op het huis. Of een tuin op een heuvel die 'wegloopt' van het huis. Vertrouw ook hier op uw intuïtie – voelt u dat de tuin in een bepaalde richting ligt, dan hebt u waarschijnlijk gelijk.

Voor- en Achtertuinen

STEL DAT U *meer dan één tuin hebt, of meerdere stukken tuin. Misschien hebt u een achtertuin die zich uitstrekt tot de zijkant van het huis en de voortuin. Is dat dan één tuin of zijn het er twee? Misschien hebt u een aparte voor- en achtertuin. Of bent u in het rijke bezit van een of meerdere stukjes land. Moet u deze tuinen met het oog op feng shui nu samen als één tuin beschouwen of juist apart?*

DE FENG SHUI VAN HET HUIS EN DE TUIN

De feng shui van uw huis beïnvloedt uw persoonlijke leven; uw tuin ligt buiten uw huis, en de feng shui daarvan heeft invloed op de meer openbare aspecten van uw leven. Dus het deel van uw tuin dat uw relaties beïnvloedt, heeft meer effect op de alledaagse, zichtbare aspecten van de relatie dan het persoonlijke deel, dat beïnvloed wordt door de feng shui van het huis.

De beste manier om de feng shui van uw tuin te onderzoeken is al uw land te beschouwen als één geheel. Als uw tuin zich uitstrekt rond meerdere kanten van het huis, zult u waarschijnlijk uw huis in het totaalbeeld van de plattegrond betrekken, waar het een of meer van de acht gebieden bestrijkt. Dit is verreweg de meest evenwichtige aanpak.

YIN EN YANG TUINEN

Dit is misschien ook zo'n moment om uw intuïtie te gebruiken. Als u echt het gevoel hebt meer dan één tuin te bezitten, beoordeel de feng shui dan van elke tuin apart en beschouw de voortuin als yang en de achtertuin als yin. Beide tuinen beïnvloeden de zichtbare aspecten van uw leven: de voortuin op de open voorkant en de achtertuin op de kant die alleen uw familie en vrienden te zien krijgen.

boven: *Als u het gevoel hebt dat de voor- en achtertuin niet één geheel vormen, beschouw dan de achtertuin meer als het privé-deel van uw leven.*

Het apart bekijken van de voor- en achtertuin is een wat verbrokkelde manier om naar uw leven te kijken, wat wellicht tot uitdrukking komt in een levensstijl waarin verschillende aspecten – werk, familie, vrienden – gescheiden blijven. Als u vindt dat deze aspecten meer geïntegreerd kunnen worden, is dat misschien een aanwijzing om het ontwerp van uw tuinen zo aan te passen dat ze meer een eenheid vormen, in plaats van 2 compleet gescheiden tuinen.

The Pah Kwa en de Tuin

Nu is het moment *gekomen om uit te zoeken welke aspecten in uw leven worden beïnvloed door de delen van uw tuin. Maak een eenvoudige plattegrond van uw tuin en leg de pah kwa-achthoek eroverheen. De pah kwa bestaat uit acht delen, die elk een ander aspect van uw leven vertegenwoordigen. Wanneer u weet waar elk van deze acht vlakken liggen, kunt u bepalen welk deel van uw tuin van invloed is op de aspecten van uw leven.*

DE PAH KWA EN DE TUIN

Hiervoor moet u weten hoe uw tuin ligt. Neem de pah kwa-achthoek (zie blz. 26) en leg deze boven op de plattegrond van uw tuin zodat het vakje 'roem' dezelfde kant op wijst als de tuin. Ligt uw tuin bijvoorbeeld op het noordwesten, dan wijst het vakje roem ook naar het noordwesten. Hierna kunt u aflezen welk deel van de tuin onder elk van de andere zeven vakjes ligt. Dit deel van de tuin oefent invloed uit op dat aspect van uw leven.

hiernaast: De weldadige ch'i heeft licht nodig, die hier geleverd wordt door een kaars. Zonder deze stimulans zou de krijger een afschrikwekkende figuur zijn.

Als 'roem' bijvoorbeeld op het noordwesten ligt, heeft het noordelijk deel van uw tuin invloed op uw gezondheid en geluk, en het westen op uw financiën. U kunt de pah kwa (zie blz. 26) verder volgen om te zien welk deel van uw tuin betrekking heeft op de andere aspecten.

ONTBREKENDE STUKJES

En als uw tuin niet regelmatig van vorm is? Als u een L-vormige tuin hebt, zijn er misschien aspecten in uw leven die nergens in de tuin terug te vinden zijn. Is dit het geval, dan is het waarschijnlijk dat deze aspecten in uw leven ontbreken of beperkt zijn. Mensen die snel ziek worden, komen er vaak achter dat het gezondheidsvlak in hun tuin ontbreekt.

Als een bepaald deel in uw tuin, maar niet in uw huis ontbreekt, betekent dat vaak dat het levensaspect waarop het betrekking heeft, privé of geheim is – wel aanwezig in uw persoonlijke feng shui in huis, maar niet in de openbare feng shui van uw tuin. Als u bijvoorbeeld een liefdesverhouding hebt die u om een bepaalde reden liever geheim houdt, vindt u in uw huis misschien wel een gedeelte relatie, maar in uw tuin niet.

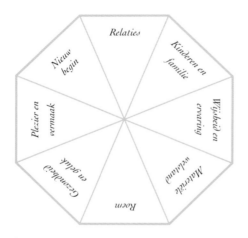

Figuur 2: de pah kwa

Leg de pah kwa op een plattegrond van uw tuin en bepaal waarop ieder vlakje betrekking heeft.

LASTIGE VORMEN

Veel tuinen hebben een onregelmatige vorm. Soms loopt een tuin verder uit, of er ligt een stuk weiland achter of een stukje grasland aan de voorkant dat vroeger oprijlaan was. Deze stukken steken vaak uit onder de pah kwa die u eroverheen legt.

Als een onderdeel van de pah kwa zich uitstrekt tot een groot deel van uw tuin, betekent dit dat het levensaspect in kwestie rijk gezegend is. Mensen met veel geld hebben vaak een groot gedeelte welstand, en met grote gezinnen hebben ze vaak extra ruimte in het gedeelte kinderen.

UW HUIS IN DE PLATTEGROND MEENEMEN

Als uw tuin helemaal rond het huis ligt, of er aan meerdere kanten aan grenst, hebt u misschien het huis in de totale plattegrond mee moeten rekenen. In dit geval vallen sommige van de acht levensaspecten die door de pah kwa zijn bedekt, eerder binnen het huis dan in de tuin. Dit betekent dat uw leven completer en meer geïntegreerd is dan wanneer uw tuin als een apart onderdeel was beschouwd.

Bepaalde delen van uw leven vallen echter niet in de publieke sfeer. Als het welstandsvlak binnen uw huis ligt, verdient u uw geld misschien privé.

boven: *Bepaal zorgvuldig het punt waar u een bankje neerzet om rustig te kunnen ontspannen.*

U werkt misschien zelfstandig, of u heeft geld uit persoonlijke bron – van een erfenis bijvoorbeeld, of u speculeert met aandelen.

DE ACHT DELEN

U hebt nu een plattegrond die uw tuin in achten deelt (of minder, als er stukken ontbreken). Nu u weet welk levensaspect wordt beïnvloed door de verschillende delen, kunt u optimale feng shui in uw tuin toepassen.

Bevestig de schommel voor de kinderen in het deel kinderen en familie, zet de barbecue in het deel plezier en vermaak, enzovoort.

Ook al is uw tuin klein en wilt u hem slechts gebruiken voor één doel, toch kunt u deze indeling erin verwerken. Stel dat u de hele tuin wilt gebruiken als meditatieplek; zet dan een stoel in het deel dat hiervoor het geschiktst is – wijsheid misschien, of gezondheid en geluk.

De Acht Verrijkingen:
De Acht Gebieden van de Pah Kwa

U W TUIN *is in acht stukken verdeeld door de pah kwa die u over een plattegrond hebt gelegd. De ch'i moet vrijelijk in en uit alle delen van de tuin kunnen stromen om een goede, harmonieuze feng shui te scheppen; hoe we dit doen, zien we later. Maar daarbij haalt u ook nog eens het optimale uit de feng shui als u uw activiteiten daar uitvoert waar hij invloed uitoefent op het betreffende levensaspect.*

Zo zou het onverstandig zijn om uw composthoop in het relatiegedeelte te plaatsen – wat zouden keukenafval en dood plantenmateriaal voor effect op uw relatie hebben? Waarschijnlijk verteert die, net als de compost. U kunt de composthoop wel op het gedeelte van wijsheid en ervaring plaatsen, waar de waarde van al het materiaal uiteindelijk een gunstige invloed zal hebben op de volgende generatie planten.

1 Roem: Dit deel van de tuin heeft invloed op uw reputatie, dus ideaal om mensen te ontvangen op wie u indruk wilt maken, of om bloemen te kweken om mee te pronken. Als u fruit of reuzengroenten kweekt voor een wed- strijd, doe dat dan hier. Gebruik dit deel niet voor privé-zaken zoals een tuin- huisje om in te ontspannen of een medi- tatiehoekje – de kans is groot dat u er niet rustig zit.

2 Gezondheid en geluk: Dit is een goede plek om te ontspannen en uw accu op te laden, dus plaats hier een stoel of bank en wellicht een vijver met fontein – het geluid van stromend water frist op. Het is ook een goede plek voor een kruidentuin, vooral voor genees- krachtige kruiden of ontspannende kruiden als lavendel.

hiernaast: *Kweek geneeskrachtige kruiden in het gedeelte gezondheid en geluk. De groene tint van gras heeft hierop een versterkende werking.*

boven: *Het relatiegedeelte is klaar voor een nieuwe partner, met een zitje voor twee aan een rond tafeltje en een enkele fruitboom. De cirkel van klinkers en de vernuftige verlichting stimuleren de ch'i. De stoelen kunnen echter beter met de rug naar de schutting staan.*

3 Plezier en vermaak: Dit plekje in de tuin is bedoeld voor vermaak. Misschien moet u hier uw barbecue neerzetten en vrienden ontvangen — uw feestjes hier zullen een groot succes zijn. Wellicht kost het u zelfs moeite om uw gasten na afloop tot opstappen te bewegen. En kunt u het zich veroorloven, dan is dit de aangewezen plaats voor een zwembad, een jacuzzi of warmwaterbad.

4 Nieuw begin: Als u graag creatief bent in uw schuurtje, is dit er de juiste plek voor. Ook een kas of zaaibed zal het hier heel goed doen. Het is tevens de beste plaats voor de vuilnisbak, als symbool voor het voortdurend weggooien van oude dingen die door nieuwe worden vervangen.

5 Relaties: Gebruik dit deel van de tuin voor activiteiten die u graag samen met uw partner doet. Misschien kweekt u graag samen groenten, of zit u er liever rustig te praten. Wat u ook doet, zorg dat het in dit deel van de tuin gebeurt. Als u vrijgezel bent en graag een partner wilt, verzorg dit deel van de tuin dan goed en houd het vrij van onkruid, zet er overblijvende planten in of een boom die het eerste seizoen vrucht draagt, of twee appelbomen.

6 Kinderen en familie: Als u kinderen hebt, plaats hier dan de zandbak, schommel, speelvijver en andere speeltoestellen. Houd een stukje gras vrij om op te spelen, of als het vol met bomen staat, bouw er dan een boomhut. Zorg voor maximale veiligheid en controleer of alle schuttingen en

muren in goede staat verkeren. Als u geen kinderen hebt, maar wel een hond, dan is dit de aangewezen plek om hem te laten spelen.

7 Wijsheid en ervaring: Dit deel van de tuin is de plaats voor zowel geestelijke als spirituele groei. Als u graag in de tuin zit te lezen, doe dat dan hier. Of maak er uw meditatiehoekje. Bewaar de compost zo mogelijk hier, en gebruik de plek, als de aarde geschikt is, om nieuwe soorten planten of groenten uit te proberen.

8 Welstand: Dit geldt niet alleen voor kapitaal maar ook voor goederen en bezit. Dit is de juiste plek om 's winters terrasmeubelen op te slaan, en waardevolle apparaten zoals een grasmaaier. Als u geld verdient met de opbrengst van zelfgekweekte groenten of fruit, kweek ze dan hier. En als u het geluk hebt thuis te werken, dan kunt u hier op een warme dag goed terecht.

Hulpmiddelen in de Tuin

WAAR DE CH'I *niet vrijelijk en ongehinderd door uw tuin kan stromen, zult u hulpmiddelen moeten gebruiken. Later, wanneer we gaan kijken naar individuele aspecten en kenmerken, bespreken we hoe u erachter komt dat een hulpmiddel nodig is. Er zijn acht feng shui oplossingen en u moet bepalen welke voor een bepaald geval het geschiktst is. Die beslissing hangt af van het deel van de tuin waar het probleem zich voordoet en het soort probleem.*

1 Licht: Ch'i stroomt niet goed als het ergens te donker is, dus dit lost u op met meer licht in de vorm van spiegels of

boven: *Hier breekt het felgekleurde ronde scherm de rechthoekvorm en bevordert de ch'i.*
hiernaast: *Een beeld, zachte klanken en kaarslicht kunnen de feng shui bevorderen.*

tuinverlichting, of eenvoudig door wat planten terug te snoeien. Water is ook heel geschikt om licht te laten reflecteren. Een vijver, een straal of fontein kan de ch'i al stimuleren. Licht doet het vooral goed in het zuidelijk gedeelte van de tuin.

2 Geluid: Waar de ch'i wordt belemmerd, kan geluid uitkomst bieden. Dit kan in de vorm van een gamelan van bamboe of metaal, of in de vorm van het geluid van stromend water of een fontein. U kunt ook aan vogels denken – een voederkastje stimuleert regelmatig bezoek. Geluid doet het het beste op het noordwesten.

DE VIJF ELEMENTEN

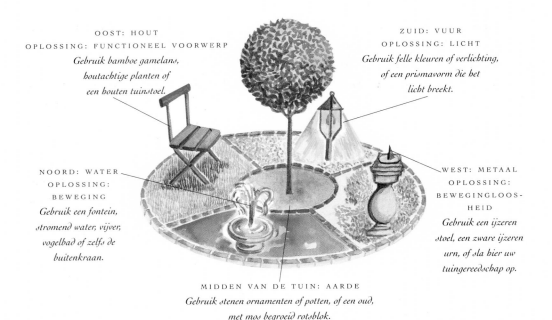

OOST: HOUT
OPLOSSING: FUNCTIONEEL VOORWERP
Gebruik bamboe gamelans,
houtachtige planten of
een houten tuinstoel.

ZUID: VUUR
OPLOSSING: LICHT
Gebruik felle kleuren of verlichting,
of een prismavorm die het
licht breekt.

NOORD: WATER
OPLOSSING:
BEWEGING
Gebruik een fontein,
stromend water, vijver,
vogelbad of zelfs de
buitenkraan.

WEST: METAAL
OPLOSSING:
BEWEGINGLOOS-
HEID
Gebruik een ijzeren
stoel, een zware ijzeren
urn, of sla hier uw
tuingereedschap op.

MIDDEN VAN DE TUIN: AARDE
Gebruik stenen ornamenten of potten, of een oud,
met mos begroeid rotsblok.

Wanneer er meer dan één oplossing is voor een bepaald probleem, kies dan de beste. Een stagnerende ch'i bijvoorbeeld kan worden opgelost met licht, geluid, kleur, beweging, functionele voorwerpen of rechte lijnen. Wat is dan het beste? Dat hangt af van het deel van het tuin. Probeer het middel te kiezen dat het best thuishoort in dit deel. Licht werkt bijvoorbeeld vooral goed in het zuiden.

De Chinezen hebben vijf elementen – vuur, water, metaal, hout en aarde – en elk heeft zijn eigen windstreek. Zoek dus ook een middel dat het best past bij het element voor dat deel van de tuin. Water bijvoorbeeld is het element van het noorden, en beweging is de oplossing die in het noorden het best werkt. Een fontein zou hier dus een goede oplossing zijn.

boven: *Deze bijzondere aardesculptuur vormt een perfecte bewegingloze oplossing in het midden van de tuin.*

3 Kleur: Kleur stimuleert een trage of stagnerende ch'i; rood is de favoriete kleur in China, en andere felle tinten als oranje en paars werken ook stimulerend. Als de ch'i als door een trechter over een recht pad voert of al te sterk is, gebruik dan groen, wit, koele blauwtinten en zachtroze om hem wat te bedwingen. U kunt hierbij denken aan kleurige planten of ornamenten, potten of tuinmeubilair. Kleurige oplossingen doen het vooral goed in het noordoosten van de tuin.

4 Leven: Soms heeft ch'i moeite om hoeken te bereiken. U kunt dit ondervangen door er iets levends in aan te brengen. Planten liggen voor de hand, maar ook een visvijver, een voederhuisje of vogelbadje is mogelijk. Levende oplossingen werken het best in het zuidoosten.

5 Beweging: Als de ch'i stagneert of als hij moet worden afgebogen, kunt u beweging aanbrengen. Ook hier kunt u denken aan vogels, een fontein, stromend water of een gamelan. Of u kweekt planten of bomen die zachtjes deinen in de wind, zoals een esp. Kies voor beweging

in het noorden van de tuin, waar slapende ch'i vaak moet worden gewekt.

6 Bewegingloosheid: Wanneer ch'i overactief is kunt u hem afremmen door een zwaar, bewegingloos object op zijn pad te zetten. U kunt hiervoor denken aan een standbeeld, een sculptuur, of een grote urn of pot. Bewegingloze oplossingen werken goed in het westelijk deel.

7 Functionele voorwerpen: Ieder voorwerp dat een praktisch doel dient helpt slaperige of stagnerende ch'i weer op gang komen. U kunt denken aan een zonnewijzer, een barbecue of de buitenkraan. Het deel waar functionele middelen het best werken is het oosten.

8 Rechte lijnen: Rechte lijnen helpen de ch'i verder wanneer hij tot talmen geneigd is. U kunt rechte paden aanleggen om horizontale rechte lijnen te creëren. Verticale rechte lijnen kunnen worden gerealiseeerd met bogen en obelisks, of met recht omhoog groeiende planten, zoals bamboe. Gebruik deze oplossing in het zuidwestelijk deel van de tuin.

De Ingang van de Tuin

D E INGANG VAN *uw tuin is voor zowel de ch'i als voor bezoekers de hoofdingang. Alles wat bezoekers stimuleert, doet hetzelfde met ch'i. Bekijk die hoofdingang dus goed – en daarna de andere ingangen – en zorg dat hij een goed welkom biedt. Bekijk ook in welke richting de ingang ligt en het soort ch'i dat er binnenkomt, zodat beide goed bij elkaar aansluiten.*

INGANG OP HET ZUIDEN

Als u een ingang hebt op het zuiden, zal die heel veel expansieve yang ch'i aantrekken. Dat is prima, maar het kan wat te veel worden, dus de ingang moet ruim en open zijn, maar niet te groot, anders stroomt de ch'i er te snel in.

Er zijn genoeg technieken om een al te geestdriftige ch'i in te tomen. Maak een boog boven de ingang of plant er een boom naast. Gebruik een afscheiding die de ch'i niet blokkeert, zoals een klimraam of een spijlenhek. Kies geen bomen die de stroom helemaal afsluiten, maar met open takken waar de ch'i nog vrijelijk doorheen stroomt – fruitbomen wellicht, of esdoorns. De vlekkerige schaduw zal ook de opwinding van de yang ch'i iets temmen.

INGANG OP HET NOORDEN

De ch'i uit deze richting is zwaar en slaperig, en kan alle hulp gebruiken om de tuin in te stromen. Maak deze ingang zo open mogelijk door hem tamelijk breed te maken, met een recht of bijna recht pad ernaar toe.

Haal eventuele donkere, overhangende takken of sombere struiken eromheen weg, en maak de ingang zo ruim mogelijk. Als deze in een hoekje van de tuin verborgen zit, kunt u die dan iets opener maken? Door hem een meter te verplaatsen kunt u al een hele verandering teweegbrengen. Beweging is een goede oplossing voor het noorden.

Misschien kunt u beweging vlak bij

hiernaast: *De ingang van de tuin is van het grootste belang en dient overeen te stemmen met het bijbehorende aspect.*

de ingang introduceren in de vorm van een weerhaan of planten met pluimen die meewaaien in de wind.

INGANG OP HET WESTEN

Ch'i vanuit het westen kan gevaarlijk zijn, en mag slechts gedoseerd worden toegelaten. Houd de ingang op deze kant dus klein, en 'breek' ch'i die hierdoor binnenkomt met smeedijzeren hekken of rasterwerk, of rem hem af zodra hij binnenkomt – een trellis of een boom in de ingang, met een pad er omheen zal de stroom onder controle houden.

Het belangrijkst is dat u de ch'i uit het westen niet langs rechte paden leidt, vooral met pergola's of rozenbogen aan de ingang. Probeer de ch'i niet helemaal te blokkeren door een dichte deur; iedere keer dat die opengaat zal de ch'i met een vaart binnenstromen. Een beetje ch'i uit het westen is echter positief. Hij brengt leven en bevordert activiteit, wat met mate toegepast een goede invloed heeft.

INGANG OP HET OOSTEN

Deze ch'i is vriendelijk en beschermend, en moet gestimuleerd worden. U kunt ingangen aan deze kant van de tuin ruim en open houden, maar de tuin kan wildgroei ontwikkelen als het te veel wordt. Zorg dat er ten minste aan deze kant van de tuin een afscheiding is, al is het maar een open hek.

DEUREN EN POORTEN

Wat voor ingang hebt u? Om de ch'i vrijelijk in en uit te laten stromen, kunt u een dichte deur beter vermijden. Alleen als u meer dan een ingang hebt aan een kant van de tuin en u wilt de stroom erdoor heen niet te sterk laten worden, kunt u hierop een uitzondering maken. In andere gevallen zijn opengewerkte deuren het best. Hout voelt zich thuis op het oosten, metaal op het westen.

Hoe opener de ingang, hoe gemakkelijker de ch'i erdoor kan stromen.

Middelhoge hekken dwingen de ch'i eroverheen te lopen, en manshoge hekken – vooral ingebed in muren, schuttingen of heggen – remmen hem af.

Vergeet niet dat u de stroom van ch'i kunt beïnvloeden met de kleur van het hek. Felle kleuren stimuleren, en rood en oranje zijn geschikt om yang ch'i uit het zuiden op te wekken, vooral als u de ingang niet zo open kunt maken als u zou willen. Koele tinten blauw en groen houden de ch'i stromend maar zijn zachter en geschikter om gevaarlijke ch'i uit het westen af te remmen of om trage ch'i uit het oosten te stimuleren.

boven: *Smeedijzeren of opengewerkte hekken kunnen de ch'i beïnvloeden zonder hem te blokkeren. De deur mag echten niet open blijven staan, anders blijft het effect uit.*

DEEL TWEE

Algemene Vorm en Kenmerken van de Tuin

De Vorm
van de Tuin

DE VORM VAN *uw tuin heeft een sterke invloed op zijn feng shui. Is het een rechte, open vlakte waar de ch'i ongehinderd doorheen kan stromen, of zit hij vol hoekjes en onregelmatige vormen die niet mooi overeenkomen met de pah kwa? Regelmatig gevormde tuinen lenen zich beter voor feng shui dan onregelmatige tuinen – zoals een L- of een T-vorm – maar er zijn oplossingen om iedere tuin tot een harmonieus geheel te maken.*

REGELMATIG GEVORMDE TUINEN

Ch'i stroomt graag ongehinderd en tot in alle hoeken van de tuin. Het is dus veel beter om een tuin te hebben met een duidelijke, regelmatige vorm zonder allerlei onderbrekingen of hoeken die de ch'i kunnen belemmeren. Regelmatige vormen stellen u ook beter in staat de pah kwa op zo'n manier toe te passen dat er geen ontbrekende delen of verlengingen zijn. De beste vorm voor een tuin is rond of achthoekig – maar slechts weinig mensen hebben zo'n tuin. Vierkant is de volgende meest regelmatige vorm; een rechthoekige, lange en smalle tuin zal langere pah kwa-gedeeltes hebben, dus hoe vierkanter hoe beter.

BOCHTEN EN RONDINGEN

Ch'i stroomt graag langs flauwe bochten, dus vermijd rechte lijnen in uw ontwerp. Laat de voorkant van uw patio liever rond lopen dan recht. Tuinhuisjes zijn vaak vierkant maar u kunt rechte zijden van vierkante en rechthoekige tuinen verzachten met bloembedden. Kies voor een rond of gewelfd gazon in het midden van de tuin. Gebruik liever ronde bogen dan platte rekken om klimplanten langs te leiden, en maak vijvers liever rond dan vierkant. Laat water natuurlijke bochten volgen in plaats van rechte lijnen.

hiernaast: *De regelmatige rechthoek van deze tuin is ideaal, en door de ronde vorm van de terrassen kan de ch'i ook beter stromen.*

Een uitzondering hierop kunt u maken wanneer de ch'i naar een deel stroomt dat stagneert. Als u bijvoorbeeld een lang, smal stuk tuin hebt dat uitkomt op een breder stuk, en de ch'i stagneert daar, dan kunt u hem stimuleren in het lange deel door een lang pad aan te leggen. Maak aan het eind van de tuin een ronde vorm zodat de ch'i langs een bocht weer naar buiten kan stromen.

VERBORGEN HOEKJES

Ook al wilt u een tamelijk regelmatige tuin, als hij helemaal open is, kan de ch'i

ONREGELMATIG GEVORMDE TUINEN

Het is heel goed mogelijk om een goede feng shui te creëren in een tuin die geen regelmatige vorm heeft. U moet de ch'i stimuleren zodat hij rond hoeken en in dode hoeken terecht kan komen. Er zijn hiervoor verschillende technieken mogelijk:

- Als uw tuin een scherpe hoek heeft, zorg dan dat paden, gazons of bloembedden rond lopen en niet dezelfde scherpe hoeken hebben als de tuin.
- Stimuleer de ch'i in alle hoeken en paadjes te komen met behulp van licht, geluid, kleur, leven, beweging of functionele voorwerpen. Al deze oplossingen voldoen, maar kies indien mogelijk een die het best past bij de richting van dat deel van de tuin.

  LICHT: *zuid*, GELUID: *noordwest*,
  KLEUR: *noordoost*, LEVEN: *zuidoost*,
  BEWEGING: *noord*, FUNCTIONELE
  VOORWERPEN: *oost*

- Ontwerp de tuin zo dat hij een eenheid vormt. Scherm geen stukken af achter heggen, muren of hekken, maar laat ze deel uitmaken van het totaalontwerp. Laat de vorm van het gazon doorlopen in een ander gedeelte, of laat bloembedden doorlopen in een bocht. Verander op hoeken niet van materiaal, maar laat grind of hetzelfde stenenpatroon doorlopen.
- Maak hoeken minder scherp. Stel dat de tuin doorloopt om het huis. U kunt dan een klimplant tegen het huis laten groeien om de scherpe hoek te camoufleren waar de twee kanten van het huis bij elkaar komen. Of denk aan een ronde bank of bloembed op de hoek, zodat de ch'i er rustig langs kan stromen.

boven: *In een minder formele tuin stimuleren een onregelmatig gevormd gazon met een dito pad erlangs de energiestroom.*

overactief worden. Net als wij wil de ch'i graag naar verborgen plekjes gelokt worden, en wil hij graag zien wat er na de volgende bocht gebeurt. Wees dus niet bang om verborgen hoekjes te creëren. Zorg er alleen voor dat ze gemakkelijk te bereiken zijn, langs glooiende paden of onder bogen door, en zich niet ergens achter een schuur of op een achterafplaats bevinden.

Omheining

D E GRENS *van uw tuin is heel belangrijk. Alle ch'i die in uw tuin stroomt, komt van buitenaf, en daar hebt u geen controle over. Hij kan van een plek komen waar het slecht gesteld is met de feng shui. U kunt iets doen aan deze ch'i door de feng shui van uw tuin te bevorderen, maar de enige manier om de ch'i die uw tuin binnenstroomt onder controle te krijgen is met een geschikte omheining, die hem kan stimuleren of bedwingen, versnellen of afremmen.*

GRENZEN EN DE PAH KWA

We hebben al gezien hoe we ch'i uit bepaalde windstreken kunnen stimuleren of ontmoedigen, maar u moet ook het pah kwa-gedeelte bekijken dat beïnvloed wordt. Als u het bijvoorbeeld moeilijk vindt om vrienden te maken of te houden, kan de ch'i misschien niet goed doorstromen in het vriendengedeelte van de tuin. In dit geval kunt u de omheining wat meer open maken om de ch'i te stimuleren.

Misschien merkt u dat bepaalde aspecten van uw leven overactief zijn. Stel dat u nooit aan het werk komt omdat u steeds bezwijkt voor leuke dingen zoals uitgaan. Misschien kunt

u dan een balans bereiken door de ch'i op het gedeelte plezier en vermaak wat af te zwakken.

HOOG OF LAAG, ZWAAR OF LICHT

Er zijn twee basismanieren om de hoeveelheid ch'i die door de omheining komt te variëren. U kunt de hoogte aanpassen; een hoge schutting, muur of heg blokkeert meer dan een lage. Als u meer ch'i wilt vanuit een bepaalde richting, kunt u aan die kant van de tuin een lagere omheining maken. Misschien stagneert hij op het welstandsgedeelte, en wilt u de ch'i hier meer stimuleren om uw financiën op te vijzelen. Maak de omheining minder hoog of zet een laag hekje neer.

De andere manier om de hoeveelheid

boven: *Met een open trellis als omheining vermijdt u een blokkade van de ch'i. De klimplanten verzachten het effect en de bladeren van de blauweregen die meedeinen op de wind brengen hier meer leven.*

ch'i in uw tuin te beïnvloeden heeft te maken met de dichtheid van de begroeiing. Er stroomt meer ch'i door een open raster dan door een dichte stenen muur. Een taxushaag houdt meer ch'i tegen dan een beukenhaag. Als u een open hek of trellis hebt, en u wilt de ch'i afremmen, zorg dan voor een dichte begroeiing van klimplanten, bijvoorbeeld klimop of wilde wingerd.

Licht en Schaduw

*L*ICHT IS YANG *en schaduw is yin. De ch'i in uw tuin moet zowel yin als yang energie bevatten, zorg dus dat de combinatie van licht en schaduw in balans is. Ch'i stroomt voortdurend uit ruimtes met yin naar yang en weer terug, als wisselstroom, dus hij moet beide elementen in zich hebben om goed te kunnen blijven stromen. Zorg voor zowel zonlicht als schaduw in uw tuin.*

BALANS CREËREN

Een goede balans ontstaat door licht- en schaduwplekken te creëren, maar maak het contrast niet te sterk. Ch'i houdt evenmin als u van een overgang van don-

boven: *Water kan een manier zijn om meer licht te realiseren, en groene varens erlangs zorgen voor de balans.*

kere schaduw naar fel zonlicht. Probeer de hoeveelheid licht en schaduw in de tuin zo te doseren dat de overgangen van licht naar donker geleidelijk verlopen.

Een boomgaard heeft meestal een uitstekende feng shui omdat het licht er altijd verstrooid is; dit kunt u nadoen door fruitbomen te planten of andere bomen die licht verstrooien, zoals wilgen of esdoorns. Een rozenboog tussen een licht en een schaduwrijk gedeelte breekt het licht, maar ook rasterwerk heeft een dergelijk effect.

TE VEEL LICHT OF SCHADUW

Als er te veel fel yang zonlicht in de tuin schijnt, creëer dan schaduw door bomen te planten, of maak een boog of pergola met rozen, druiven of een kamperfoelie eromheen.

boven: *Groenblijvende bomen kunnen te veel schaduw geven, maar getrapte of ronde vormen zorgen voor een evenwichtige combinatie van licht en donker.*

Als het licht alleen in de zomer te sterk is, maak dan een zonnescherm dat u opzet wanneer de zon op z'n felst is.

Hoewel enige schaduw in de tuin gewenst is, mag deze nooit zo donker zijn als onder coniferen die met hun takken tot de grond reiken. Hier kan de ch'i niet doorheen stromen.

U kunt bomen en struiken in schaduwgedeelten snoeien, of zelfs weghalen.

Of maak gebruik van licht, zoals water, dat reflecteert in een schaduwgedeelte.

Spiegels lijken misschien vreemd in een landelijke tuin, maar in een stadstuin doen ze het heel goed. Fris, zonnig wit of pasteltinten fleuren een schaduwdeel ook op. Kies kleurige bloempotten, of schilder muren, klimroosters of banken om wat fleur in zo'n stuk tuin te brengen.

Open Ruimtes

IEDERE TUIN *zou een open gedeelte moet hebben, anders krijgt yin de overhand. Ch'i heeft open yang nodig. Stel u maar eens een tuin voor zonder een open stuk. Het open gedeelte hoeft niet in het midden te zijn, maar ook niet ergens ver in een hoek. In veel tuinen ontstaat een open ruimte door een gazon. Maar het hoeft geen gazon te zijn; het kan ook een geplaveid stukje zijn, of zelfs een vijver.*

IN DE JUISTE VERHOUDING

Het is onmogelijk om aan te geven hoe groot het open deel moet zijn, want het gaat erom dat het past bij de afmeting van de tuin. Als u drie hectaren land hebt, is een ruimte die net genoeg is voor een tafel en een paar stoelen veel te klein. Maar als u een kleine stadstuin hebt van zo'n meter of 6 à 7 is zo'n ruimte wellicht voldoende.

Voor ch'i is het evenwicht tussen open stukken met paden en planten en huisjes evenzeer nodig als tussen licht en schaduw. Hij wil niet vanuit een open ruimte plotseling door een piepkleine ingang geleid worden. Houd dus paden, bogen en doorgangen ruim waar ze wegvoeren van een open ruimte.

WAT VOOR RUIMTE?

Een rond of bijna rond gedeelte midden in uw tuin is ideaal. In een grote tuin hebt u misschien graag een aantal open gedeeltes, verbonden door paden naar begroeide gedeeltes. Een lange, smalle tuin kan het best in twee of drie open stukken worden verdeeld met bomen, huisjes of bloembedden ertussen.

Sommige functionele delen zijn van nature open; het is echter belangrijk deze delen niet af te schermen. Als u een omheining wilt rond een zwembad of tennisveld, of rond uw moestuin, zorg dan dat u nog andere open plekken in de tuin hebt.

Hebt u ruimte voor een gazon, dan is dat ideaal, want de kleur groen is zeer rustgevend en zorgt dat de ch'i niet over-

boven: *Zelfs in functionele gedeeltes kunnen ronde vormen worden toegepast.*
Een open omheining eromheen kan een kalmerend effect hebben.

actief kan worden in al die ruimte.

U kunt echter ook denken aan gravel, tegels of kasseien. Een andere mogelijkheid is een vijver in het midden van de tuin, met ruimte eromheen voor een pad en een zitje.

Paden

P ADEN VINDEN WE *in bijna iedere tuin. Behalve als uw tuin heel erg klein is, lopen er veelal paden van het ene deel naar het andere. Bij een groot gazon zult u merken dat er vanzelf een pad ontstaat als u steeds dezelfde route neemt vanuit de achterdeur naar de tuiningang, of vanuit de kas naar de schuur. Ch'i stroomt ook over deze paden, dus zorg dat de ch'i kan stromen waar hij gaan moet, met voldoende snelheid.*

Rechte paden stimuleren de loop van de ch'i en doen hem sneller stromen. Dit is mooi als het gedeelte aan het eind van het pad de ch'i zou kunnen tegenhouden, want een recht pad houdt de ch'i stromend. Hebt u een schaduwrijk deel, of een stuk tuin dat wat afgelegen ligt van de rest waar de ch'i niet gemakkelijk toegang heeft, dan helpt een recht pad om dit stukje tuin bij het geheel te betrekken. Als de ch'i al goed doorstroomt, mogen de paden eigenlijk niet helemaal recht lopen, want ch'i stroomt graag langs bochten.

Houd rekening met de richting van waaruit de ch'i komt. Als dit het zuiden

hiernaast: Een recht pad naar een schaduwrijk deel brengt hierin wat meer leven, maar pas ze met mate toe, want ze kunnen ook te veel ongewenste energie aanvoeren.

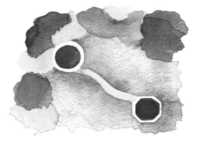

boven: *Rechte paden doen de ch'i sneller stromen, bochtige paden zijn de beste keuze.*

is, brengt het levendige yang de tuin in. Komt hij uit het noorden dan kan hij veel slaperige yin ch'i veroorzaken, en een injectie met yang ch'i is dan noodzakelijk. In dit geval is een recht pad een goede remedie.

Als het gedeelte in kwestie echter bijvoorbeeld de relatiehoek is, en u bent iemand die snel verliefd wordt of moeilijk de juiste partner kunt kiezen, moet u juist voorkomen dat u al te veel actieve, levendige yang ch'i in dit deel toelaat.

U kunt beter de ch'i in dit deel wat kalmeren, of wijze ch'i uit het oosten stimuleren in plaats van de al te geestdriftige ch'i uit het zuiden. Maak bochten en wendingen in paden uit het zuiden om de ch'i wat af te remmen.

Het is nooit goed om gevaarlijke ch'i uit het westen te stimuleren over een recht pad; leg liever geen paden aan die rechtstreeks vanuit het westen komen.

TWEE RICHTINGEN

Vergeet niet dat elk pad dat ch'i aanvoert van zuid naar noord, deze ook weer terugvoert. Sommige paden lopen duidelijk één kant op, ook al kunnen ze in beide richtingen gebruikt worden, terwijl andere wat meer balans hebben. Een pad dat van een heuvel vanuit een open tuin versmalt, loopt duidelijk van de tuin af, ook al kun je er weer langs terug.

Maar een recht pad dat twee open stukken met elkaar verbindt, loopt twee kanten op. Als het pad ch'i meevoert in één richting, zal het dat ook de andere kant op doen. Hoe dichter bij een kant van uw tuin, hoe dominanter de ch'i uit die richting zal zijn. In het oostelijke deel

van de tuin voert een recht pad bijvoorbeeld meer oostelijke ch'i mee naar het midden van de tuin dan westelijke ch'i de andere kant op. Vergeet niet hiermee rekening te houden als u een recht pad aanlegt.

VORM EN MATERIAAL

In het algemeen houdt ch'i meer van brede paden. Als er takken of bogen overheen hangen, moeten deze hoog genoeg zijn om er zonder te bukken onderdoor te lopen. Als het pad wegvoert van een open stuk, moet het breed genoeg zijn om de ingang ernaartoe geleidelijk te laten verlopen. Iets verder mag het wel versmallen, als het meer afgelegen gedeeltes bereikt.

Paden kunnen van ieder materiaal zijn, maar let altijd op het contrast van licht en schaduw dat een tuin nodig heeft. In een schaduwrijk gebied vol donkergroen gebladerte creëert een licht pad – van gravel of gras – een contrast. Donkerder stenen zijn geschikter in delen waar het zonlicht wel wat mag worden getemperd.

Een verandering van materiaal zorgt voor een onderbreking die de ch'i afremt. Een donker, relatief smal pad bijvoorbeeld, tussen zwaar gebladerte, dat vanaf een stuk gras loopt, kan ch'i afschrikken en zorgen dat hij op het pad stagneert. Het is beter om het pad dan ook van gras te maken, of donkere keitjes rondom het gazon te leggen en daarna in smallere paadjes tussen het gebladerte te laten verdwijnen.

boven: *Kromme paden zijn meestal te verkiezen boven rechte.*
Afwisseling in materialen of vormen remt de energiestroom af.

Bloembedden en Borders

BLOEMBEDDEN DOEN *het in de meeste tuinen prachtig. Ze nemen na het gazon vaak de meeste ruimte in beslag. Veel tuinen hebben aan de zijkanten bloembedden, maar de vorm hiervan is van belang en verdient meer aandacht dan de ligging. Ze kunnen ook midden in een gazon of een bestrate plek gesitueerd worden, wat veel effect heeft op de feng shui van de tuin.*

VORM VAN HET BLOEMBED

In het algemeen moeten de bedden langs de rand eerder golven dan een rechte lijn volgen. De uitzondering hierop is, net als met paden, op plaatsen waar u de ch'i

boven: *Regelmatige vormen werken voor een bloembed het best. Heeft een bepaald gedeelte meer rust nodig, zorg dan voor voldoende groene planten.*

hiernaast: *Ovale en ronde vormen zijn ideaal voor bloembedden in delen van de tuin waar geen balansprobleem is.*

wilt stimuleren tot meer snelheid naar een gebied waar hij stagneert, of om een bepaald soort ch'i in dat deel van de tuin te brengen. Rechte randen van bloembedden zijn goed om de rechte lijnoplossing te realiseren, die het beste werkt in het zuidwesten.

Brede bloembedden zijn beter dan smalle, maar ze mogen niet te breed zijn, anders verliest de ch'i zijn richting en stroom. Een ideale breedte is tussen 1 en 3 meter, afhankelijk van de verhoudingen van het gehele tuinoppervlak.

BORDERS

Als u een border hebt – een bloembed tegen een muur, trellis, hek, heg, gebouw of andere structuur – zal de achterkant waarschijnlijk recht lopen. Tenzij een rechte lijn nodig is in dit gedeelte, moet

boven: *De keuze van materiaal en planten, potten en sculpturen is belangrijk. Hier zijn donkere kiezels gebruikt om de ch'i in het rechte pad wat af te remmen dat door de eerste cirkel tot aan het ronde zitje loopt.*

u deze iets verzachten. De beste manier om dit te doen is door aan de achterkant struiken te planten op verschillende afstanden naar voren toe, zodat een tweede lijn aan de achterkant ontstaat die niet recht is.

Ook als u een fraaie oude muur hebt die u wilt laten uitkomen, kunt u toch de rechte kant verzachten door er fruitbomen langs te planten.

'EILAND' BEDDEN

Bloembedden die van alle kanten te zien zijn, liggen meestal in een gazon of een bestraat gedeelte. De vorm kan het beste regelmatig zijn. Als u een rechte lijn nodig hebt, kunt u een vierkant of rechthoek maken, maar kies anders voor een ronde of ovale vorm. Als dit deel van uw tuin al aardig in balans is, kies dan een rond bloembed.

RANDEN VAN BLOEMBEDDEN

Vaak is het praktisch om het punt tussen het bloembed en een pad, straatje of gazon te markeren. Dit kan in de vorm van een verandering in hoogte, of een randje tegels, stenen of planken.

Een verandering in hoogte zet de ch'i aan om van hoog naar laag te stromen. Bloembedden die hoger dan het pad liggen, zorgen dus dat de ch'i op het pad eronder valt. Dit kan een verticale trechter opleveren, die gebroken moet worden. Neem planten die over de rand van de muur achter de bloembedden heen vallen, en houd de ch'i in de bloembedden hoog met lange rechte planten achterin, en volop lichte, kleurige planten en licht ge-bladerte aan de voor-zijde.

Ieder soort rand-materiaal beperkt de toevoer van ch'i van het pad of het grasveld naar het bloembed en weer terug. Als u tegels of stenen langs de bloembedden wilt leg-gen, zorg dan dat de feng shui van zowel de bedden als de paden al in balans is.

boven: *Groentebedden zijn een uit-daging, maar door hun rechte zijden te verzachten wordt de feng shui sterker.*

GROENTEN

Er is een gedeelte waar rechte lijnen moeilijk te vermijden zijn, ook al wilt u ze daar liever niet. Groentebedden zijn van oudsher vierkant of rechthoekig, zodat de groenten gemakkelijk in rechte rijen te planten zijn. Maar er bestaan ma-nieren om te veel rechte lijnen, waardoor de ch'i te snel zou stromen, te vermijden.

U kunt de bedden in rechte hoeken op elkaar indelen zodat de ch'i verschillende kanten op gedwongen wordt. Maak hierbij liever een flink aantal kleine bedden in plaats van een paar grote, en u kunt een indeling maken die wel iets wegheeft van hoe een metselaar stenen plaatst. Een andere mogelijkheid zijn ronde of halfronde bedden, verdeeld in vakken die elk weer in rechte rijen geplant kunnen wor-den. U kunt de feng shui nog meer bevorderen door een voorwerp of ornament in het midden van zo'n groentebed te plaatsen om de ch'i rondom te laten stro-men: dat kan zijn een ronde zonnewijzer, een grote ronde pot of een beeld met ron-de vormen.

Functionele bouwwerken en voorwerpen

Er zijn bepaalde bouwwerken *die u wellicht in uw tuin nodig hebt, zoals schuurtjes of kassen. U moet bepalen waar u deze huisjes neerzet om een goede feng shui te bewerkstelligen, en u moet ook bepalen hoe zo'n gebouwtje eruitziet. Moet het opvallen of juist niet? Hetzelfde geldt voor functionele voorwerpen als vuilnisbakken, compostvaten en houtstapels.*

LIGGING VAN EEN SCHUUR

Bekijk wat voor functie het huisje heeft en loop dan de acht vakken van de pah kwa na om te zien wat de meest geschikte plek is. Wat bewaart u in het schuurtje? Zijn dat vooral tuingereedschappen, zet het dan ergens waar u alles snel bij de hand hebt. Vindt u tuinieren een prettige bezigheid? Zo ja, dan kunt u het gereedschap opslaan op een plek van plezier en vermaak. Of is tuinieren voor u meer een bezinning – in dat geval is het schuurtje beter op z'n plek op de plek van gezondheid en geluk.

Als u het schuurtje gebruikt om te knutselen aan motoren of om spullen te repareren, kiest u misschien voor het gedeelte van wijsheid en ervaring. En als u geld verdient met wat u in het schuurtje maakt – onderdelen van auto's of antieke tuinspullen – kunt u overwegen om de schuur in het vak van rijkdom te plaatsen.

DE PLANTENKAS

Natuurlijk wilt u dat de kas op de juiste plek staat ten opzichte van de zon. Maar dat is niet de enige overweging voor de plaatsing. Waarvoor gebruikt u uw kas? Kweekt u er planten voor uzelf, kies dan voor het gedeelte nieuw begin. Maar als u uw kas gebruikt om tere plantjes te laten overwinteren, kunt u hem zetten op het deel voor wijsheid en ervaring, waar u de planten veilig door een koude winter kunt loodsen. Als u uw planten als een

hiernaast: *De meest eenvoudige kas kan in harmonie gebracht worden met de tuin door een overwogen plantenkeuze.*

verlengstuk van uw huishouden ziet, zoals veel tuiniers doen, en met ze praat en hen behandelt als personen, kunt u de kas neerzetten op de plek voor kinderen en gezin. Als u er kruiden in kweekt, zet hem dan op het deel gezondheid.

VUILNISBAKKEN, COMPOSTVATEN EN HOUTSTAPELS

Deze zaken kunnen, als ze op de verkeerde plaats staan, allemaal gevaar opleveren voor de feng shui. U wilt natuurlijk liever niet uw roem vergooien door uw vuilnisbak in het roem-gedeelte te plaatsen, uw geld verspillen met uw houtstapel in het rijkdom-gedeelte, of uw relatie op het spel zetten door de plaats van uw compost.

De beste positie voor de vuilnisbak is in het deel voor nieuw begin, aangezien u door steeds dingen weg te gooien weer nieuwe voorwerpen binnenhaalt. Zorg echter dat de bak regelmatig geleegd wordt. Als u om een of andere reden de vuilnisman mist, laat het vuil dan niet een hele week staan, maar breng het zelf weg.

U kunt de houtstapel in uw roem-gedeelte leggen, want als u er de brand insteekt, werkt het als een baken dat mensen aantrekt. Zet compost in het

boven: *Het ontwerp van deze composthoop zorgt dat de ch'i er ongehinderd doorheen kan stromen.*

wijsheid en ervaring-gedeelte, want het wordt gebruikt om later weer nieuwe planten te kunnen kweken.

ONTWERP VAN BOUWWERKEN

Het is niet goed om uw schuurtje weg te stoppen in een onzichtbaar hoekje. De ch'i kan er dan niet goed bij en zal stagneren, samen met alle activiteiten waarvoor het schuurtje is bedoeld. Het is echter wel goed om de vorm van het schuurtje te verzachten. De meeste zijn zeer hoekig, wat niet goed is voor de ch'i. Een achthoekige schuur is ideaal, maar met klimplanten ertegen kunt u ook veel bereiken. Kies clematis of rozen, of kamperfoelie om de lijn te verzachten. Als de schuur in een hoekje ligt waar

de ch'i zou kunnen vastlopen, kies dan kleur als remedie en schilder hem groen of blauw, of als hij in het zuiden van de tuin staat, een fellere kleur geel of rood.

Plantenkassen zijn minder gevarieerd dan schuren; ze bestaan allemaal hoofdzakelijk uit glas. Vergeet echter niet dat ieder element zijn eigen richting heeft. Gebruik een houten frame in het oosten van uw tuin en een metalen frame in het westen. Een lange, smalle kas werkt als een rechte lijn voor de ch'i, dus pas hiervoor op. Als de feng shui van dit deel van uw tuin al in balans is, kies dan een regelmatige rechthoekige of achthoekige vorm voor uw kas.

onder: *Clematis verzacht de lijn van dit schuurtje, maar het pad ernaartoe zorgt dat de ch'i het toch kan bereiken.*

Decoratieve gebouwen en Structuren

VEEL TUINSTRUCTUREN *zijn puur bedoeld als versiering. Wanneer het warm weer is, zit het nergens fijner dan in een koel tuinhuisje, of in de schaduw van een koepel. Een kas moet in de zon liggen, en een schuur met tuingereedschap moet op een praktische plek staan. Maar de ligging van een tuinhuisje is veel gemakkelijker te bepalen wat betreft de feng shui, omdat u hierbij geen rekening hoeft te houden met het functionele aspect.*

VORM VAN HET GEBOUW

Als u wilt dat de ch'i zo ongehinderd mogelijk langs uw gebouwen stroomt, moet de vorm ervan meer rond dan hoekig zijn. Ch'i is dol op welvingen, dus waarom geen rond tuinhuis of prieeltje? U kunt ook een achthoekige vorm kiezen. Als u toch een vierkant of rechthoek kiest, maak dan afgeronde hoeken of verzacht ze met klimplanten.

Vergeet niet in drie dimensies te werken. Niet alleen de vlakke kant telt, maar ook de hoogte en vorm van het dak. Zorg dat de hoogte van het gebouwtje in verhouding is met de breedte. Lage, gedrongen gebouwen kunnen de ch'i gevangen houden, terwijl gebouwen die onevenredig hoog zijn als een rechte lijn werken die de ch'i naar boven voert.

VORM VAN HET DAK

De zgn. belvédère stamt uit Perzië en had altijd een gat in het midden van het dak; dat was bedoeld om 's nachts naar de sterren te kijken. Een open dak is heel goed voor de feng shui, want de ch'i kan dan vrijelijk in- en uitstromen door de zijkanten, de deur en het dak.

hiernaast: *De perfecte verhoudingen, ronde vormen en klimop én het pad naar het prieel maken dit tot een rustig plekje om in de halfschaduw te vertoeven.*

LOCATIE VAN DE GEBOUWTJES

U kunt een prima balans bereiken door een rond bouwwerk in het midden van een grasveld of open ruimte te zetten die zich ongeveer in het midden van de tuin bevindt. Dit heeft het effect van een wielnaaf waar de ch'i in rond kan stromen, en vandaar naar alle kanten van de tuin. Zorg wel dat het geen kolk wordt, door een gebouwtje neer te zetten dat de ch'i kalmeert – open opzij en met open dak om de ch'i te breken, overdekt met geurige planten die de ch'i aansporen wat te blijven hangen voor hij verder stroomt, en in een zachte kleur geverfd.

Maar wellicht geeft u de voorkeur aan een andere plek in de tuin. Zorg in dat geval dat die functioneel is. Plaats een kinderspeelhuis in het pah kwa-gedeelte kinderen; een tuinhuisje om in te lezen, schilderen of wat te peinzen in het deel wijsheid en ervaring, of gezondheid en geluk; een romantisch prieel voor een etentje 's avonds laat in het gedeelte relaties; een terras om vrienden te ontvangen in het vak plezier en vermaak, enzovoort.

onder: *Open gelegen gebouwtjes kalmeren de ch'i en zorgen dat hij zijn werk doet in het gedeelte van uw keuze.*

In China worden daken van oudsher gebouwd met de randen omhoog gekruld. De reden hiervoor is dat de ch'i dan niet van de hoeken van het dak af kan stromen. De omgekrulde dakranden remmen de ch'i af op zijn weg omlaag, en zorgen dat hij kalmpjes rond het gebouw verder stroomt. Deze dakvorm is heel effectief op tuinhuisjes en priëlen, en zorgt voor een harmonieuze ch'i.

OPEN BOUWWERKEN

Sommige open bouwwerken zijn niet veel meer dan een stelling waar planten tegenop groeien, terwijl andere wat steviger zijn, met muren van rasters of hekwerk. Deze bouwwerken bevorderen de ch'i, want die kan er gemakkelijk in en uit stromen.

boven: *In dit oosters aandoende tuinhuisje, dat in het noordelijke deel ligt, voeren de felle tinten van de bloemen en het voedsel een levendiger ch'i naar deze plek.*

GEUR

Als u een open bouwwerk met klimplanten wilt laten begroeien – wat een schaduwschakering kan opleveren die de ch'i prettig vindt – kies dan geurige planten, waar ch'i door wordt gelokt. Denk aan kamperfoelie, rozen of jasmijn om de ch'i te stimuleren het bouwwerk in en uit te stromen.

KLEUR

Vergeet niet dat u de heersende ch'i ook kunt stimuleren of kalmeren met behulp van een kleur. In het noordelijke, slaperige gedeelte van de tuin kunt u een felle kleur kiezen om de levendige yang ch'i uit het zuiden te stimuleren. Probeer sterk terracotta of fel pauwblauw als u niet van rood en oranje houdt. Hebt u een bouwwerk in het midden van een open deel zoals een gazon, dan kunt u de ch'i kalmeren door hem in koele pasteltinten te schilderen, bruinrood of blauw, of in verdigris of zachtgroen.

Water

VOLGENS DE CHINEZEN *heeft een tuin zonder water nooit een goede feng shui. Water trekt ch'i aan en zorgt voor een harmonieus verloop. Water brengt ook de natuur in de tuin, van vogels tot kevers, en elke vorm van leven is goed voor feng shui. Stromend water is het best, maar in een kleine tuin is een eenvoudige vijver of vogelbad al voldoende. In een grotere tuin brengen fonteinen en stroompjes goede feng shui.*

NATUURLIJK MATERIAAL

Houd het water zo natuurlijk mogelijk: ch'i houdt niet van plastic, fiberglas en beton. Als u dit soort materiaal hebt,

boven: *Felgekleurde goudvissen en zacht wuivende bladeren brengen leven en beweging in stilstaand vijverwater.*

houd het dan uit het zicht en zorg dat de zichtbare materialen uit steen, hout of aarde bestaan. De vormen rond het water moeten zo natuurlijk mogelijk zijn. Tenzij u juist een rechte belijning nastreeft, moeten vijvers en bakken een ronde vorm hebben, en moeten stroompjes kronkelen.

U kunt zitjes creëren bij het water, of er onderdeel van laten uitmaken. Bouw een aarden bank langs een stroompje, of een verhoogde stenen rand rond de visvijver.

VEILIGHEID ROND HET WATER

Als u kleine kinderen hebt, wees dan voorzichtig met water in de tuin. Er bestaan wel manieren om water en kinderen op een veilige manier te combineren.

DE ACHT OPLOSSINGEN

U kunt op allerlei manieren water introduceren in uw tuin – stroompjes, fonteinen, zwembaden, vogelbaden en visvijvers. Water is de enige oplossing die in uw tuin alle acht feng shui oplossingen kan bieden.

LICHT De reflectie van zonlicht op het water brengt licht in donkere delen van de tuin. Kies een mogelijkheid waarin het water voortdurend beweegt om het licht zoveel mogelijk te laten reflecteren, zoals een zacht borrelende fontein.

GELUID U kunt met water allerlei geluiden teweegbrengen, van zacht gekletter tot hard geruis. Als de ch'i ergens in uw tuin stagneert, maak dan een watervoorziening om hem aan de gang te houden.

KLEUR U kunt een slome ch'i oppeppen met een ondiepe vijver met felgekleurde tegels erin, of een keramisch vogelbad, geglazuurd in een geschikte kleur. Als u niet van felle kleuren in de tuin houdt, kunt u altijd nog voor traditioneel wit kiezen.

LEVEN Bijna iedere watervoorziening stimuleert leven. Een stroompje of een vijver trekt talloze insecten aan, van libelles tot waterkevers. Ook kikkers en padden voelen zich er thuis. Misschien kunt u zelfs wat eenden houden. Maar ook een klein badje voor vogels trekt leven aan. Of een goudvissenvijver; de Chinezen brengen vis in verband met geld, dus een goudvissenvijver in uw rijkdom-gedeelte is extra bevorderend.

BEWEGING Waar leven is, is beweging. Iedere watervoorziening die de natuur lokt, zal beweging opleveren die ch'i stimuleert. U kunt een fontein maken, of bijvoorbeeld twee vijvers, die met elkaar in verbinding staan door middel van een stroompje. Water voelt zich thuis in het noorden, ook de plaats waar beweging-oplossingen het meest effectief zijn.

ONBEWOGENHEID Water hoeft niet te bewegen. Een stenen bak of een ondiepe plas met water kan een verkoelende, onbewogen oplossing zijn om te snelle ch'i af te remmen. Als u water gebruikt om onbewogenheid te creëren, giet het dan in een zware, stenen bak of een met stenen beklede vijver, in een eenvoudige ronde vorm.

FUNCTIONALITEIT Als u een functioneel middel zoekt om slaperige ch'i op te peppen, denk dan aan een fontein. Als u er geen ruimte genoeg voor hebt, is een eenvoudige buitenkraan of tuinslang goed genoeg.

RECHTE LIJNEN U kunt rechte lijnen als oplossing gebruiken door water vanuit zijn bron in een rechte lijn in een vijver te laten stromen. En als u een verticale lijn wilt, kunt u een fontein installeren die water hoog de lucht in spuit.

boven: *Zacht drijvend groen en wit stimuleren een kalme ch'i op stilstaand water.*

boven: *Een mand in de vorm van een boot remt de stroom wat af, terwijl het felle blauw het schaduwgebied opvrolijkt.*

U kunt een watervoorziening aanbrengen met een beetje water dat opborrelt tussen een aantal stenen of kiezels, en daarna weer terugsijpelt, zodat er geen stilstaand water is, of een fontein die water sproeit op keien waar het door spleten de grond in dringt. Of denk aan een waterstroompje van slechts enkele centimeters diep.

hiernaast: *Het geluid van een spuitende fontein en het rondspattende water geven een schaduwrijk gedeelte wat meer leven.*

Dit soort voorzieningen zijn gemakkelijk te realiseren met weinig kostbare pompjes die u in elk tuincentrum kunt kopen.

U kunt een vogelbad veilig buiten het bereik van kinderen installeren of een kronkelend stroompje dat zo ondiep is dat het geen gevaar oplevert; u kunt het waterniveau constant op enkele centimeters houden. Dit is genoeg om een koel stroompje water te realiseren dat de ch'i harmonie geeft.

Beelden en Ornamenten

U KUNT DE *feng shui in uw tuin beïnvloeden met dingen als beelden, urnen en spiegels. De vorm en kleur hiervan bepalen het effect op de ch'i, evenals het soort beeld of ornament. Grote, zware stukken zijn uitstekend geschikt om de ch'i daar waar hij te snel stroomt af te remmen. Denk ook na over het materiaal van zo'n ornament, want dit heeft ook invloed op het deel van de tuin waarin het het meest effectief is.*

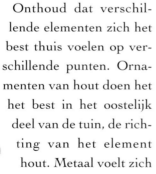

Onthoud dat verschillende elementen zich het best thuis voelen op verschillende punten. Ornamenten van hout doen het het best in het oostelijk deel van de tuin, de richting van het element hout. Metaal voelt zich het meest thuis in het westen, terwijl aarde – beelden of potten van steen of terracotta – in het midden van de tuin hoort.

U kunt beelden en ornamenten gebruiken om een deel waar te veel levendige ch'i stroomt tot rust te brengen; vooral in het westen kunnen ze de mogelijk storende invloed van de Witte Tijger kalmeren. Ze kunnen ook voor andere doeleinden gebruikt worden: beschilderde potten, ornamenten of beelden kunnen kleur introduceren. Glas en spiegels brengen licht en sommige voorwerpen kunnen als rechte-lijnremedie toegepast worden.

BEELDEN EN SCULPTUREN

Deze kunnen gemaakt zijn van hout, steen of metaal. Grote, zware sculpturen of standbeelden zijn ideaal als u bewegingloosheid zoekt, vooral als ze eenvoudig en rond van vorm zijn. Een grote stenen bal is zo'n perfecte oplossing.

hiernaast: *Een stenen urn is een mooie blikvanger. Dit exemplaar, gemaakt van grondstoffen uit de buurt, volgens de locale bouwmethode, is hier goed op zijn plaats.*

Denk na over de vorm van een beeld en zet het op de juiste plek. Beelden van kinderen horen in het kindergedeelte; een afbeelding van minnaars is geschikt voor het relatiegedeelte. Een borstbeeld van Dionysus, de Griekse god van het plezier, zou het goed doen in het gedeelte plezier en vermaak, terwijl Athene, godin van de wijsheid, goede feng shui zal veroorzaken in het gedeelte wijsheid en ervaring.

NATUURLIJKE SCULPTUREN

U hoeft geen sculpturen en beelden aan te schaffen voor uw tuin; misschien vindt u ze wel in de natuur. Zoek naar mooie stenen of rotsen als afwerking van een muur, of voor een zelfgemaakt vogelbadje. Of neem – als u hem kunt versjouwen – een rotsblok als bewegingloze remedie.

Stukken drijfhout hebben een natuurlijke schoonheid en hebben door het zeewater vaak vormen die van nature de feng shui bevorderen – rondingen en welvingen. Een groot stuk drijfhout is een uitstekende bewegingloze remedie, of verschillende stukken als decoratie van het dak van een landelijk zomerhuisje; het breekt de chi zodat die rustiger van het dak af kan stromen. Of maak zelf een gamelan van kiezels en stenen.

POTTEN, URNEN EN VOEDERBAKKEN

Deze kunnen van hout, steen, metaal zoals lood of terracotta zijn (vermijd fabrieksmateriaal als plastic en plexiglas), maar u kunt ook potten in een rieten of metalen mand of standaard plaatsen. Ze kunnen geglazuurd of geschilderd worden, zodat u zelf kleur als remedie gebruikt: fel waar de ch'i gestimuleerd moet worden, koel om hem te kalmeren.

boven: *De rechte lijn van deze bomen wordt verzacht door een wilgensculptuur en papieren om de ch'i te kalmeren.*

boven: *Kiezels, glad gespoeld door de zee, staan prachtig bij de klimopbladeren op een boombast.*

boven: *Uitwaaierende bladeren, gecentreerd rond rijpe bessen, brengen kleur en een ronde vorm op de aarde.*

Gebruik ronde potten, behalve waar u een rechte lijn als remedie moet toepassen; vierkante bakken stimuleren de ch'i enigszins, gebruik ze dus alleen als hij dreigt te stagneren. Stenen voederbakken, verweerd door de jaren en met ronde hoeken, zijn uitstekend voor de feng shui, vooral als ze begroeid zijn met mos. Verzamelingen potten laten de ch'i rondom stromen, zolang ze niet te dicht op elkaar staan. U kunt de ch'i stimuleren met een aantal potten op een rij als u een rechte-lijnremedie zoekt; dit werkt het best als de potten en de inhoud ervan goed bij elkaar passen.

SPIEGELS EN GLAS

Een spiegel aan een muur of hek geeft meer licht in een schaduwrijk deel en biedt een ruimtelijke gevoel. Dit kan vooral van pas komen in een kleine binnen- of stadstuin. Laat de harde randen van de spiegel schuilgaan onder klimplanten. Bepaal wat u weerspiegeld wilt zien: groen, open ruimte, water, bomen of mooie bloemen. Een flatgebouw achter het huis of een parkeerplaats achter het hek zult u liever vermijden!

Glazen ornamenten kunnen ook op andere manieren licht in een tuin brengen. Zilverkleurige glazen (kerst)ballen bijvoorbeeld kunnen een donker stukje tuin meer licht geven. Hang ze onder donkere, groenblijvende bomen waar de ch'i onder blijft hangen. Of leg een glazen bal op het water van een vijver waar hij nog meer licht reflecteert en enige beweging teweegbrengt.

Zitplaatsen en Prieeltjes

SOMMIGE MENSEN VINDEN *niets heerlijker dan lekker lui in de tuin zitten. Anderen zijn weer graag bezig — met onkruid wieden, snoeien, planten en maaien. Maar zelfs de actiefsten onder ons willen ook wel eens even rustig van de tuin genieten. Zitjes zijn belangrijk in iedere tuin, of het nu om een enkele stoel gaat of om een stel bankjes. Maar de juiste plaats ervan vraagt wel enige aandacht als u de totale balans niet wilt verstoren.*

EVEN UITRUSTEN

Het eerste waar u aan moet denken is dat u gaat zitten om uit te rusten. Dus bepaal in welke pah kwa-gedeeltes u dat wilt doen. Kiest u bijvoorbeeld het gedeelte nieuw begin, dan merkt u wellicht dat u

boven: *Een veerbladige jasmijn verzacht de rustieke palen die het zitje van het welriekende prieel afbakenen.*

minder actief wordt. Als u te hard werkt of overspannen bent is dat misschien gunstig, maar als u nieuwe ideeën en activiteiten wilt ontplooien is dit niet de geschikte plaats voor een tuinstoel.

Een zitje in het gedeelte kinderen en familie is prima als u geneigd bent zich te veel in het leven uw kinderen te mengen en ze te veel te beschermen. Maar het zou niet verstandig zijn om hier onderuit te zakken terwijl uw kinderen hun gang gaan en u hen niet goed in de gaten kunt houden. Als u hier een zitje wilt zonder de balans te verstoren, kies dan een schommel. Op die manier zit u rustig maar u blijft toch 'bij de les'.

boven: *Een molensteen als zitplaats zorgt met zijn gewicht en bewegingloosheid voor een rustig stromende ch'i.*

DE JUISTE ZITPLAATS

De vorm van de zitplaats en eventuele patronen van een bank, stoel of prieel zullen de ch'i beïnvloeden. Een lange, rechte bank met horizontale latten werkt als een rechte lijn die de ch'i versnelt, terwijl een ronde stoel met een gebogen rug de ch'i zal kalmeren. Een zware stenen zitplaats is goed als u een bewegingloze remedie zoekt. Priëlen zijn prima voor de feng shui, mits ze niet zo dicht begroeid zijn dat de ch'i er niet in- of uit kan. Kies een vorm met ronde bovenkant en zet er geurige planten tegenaan die de ch'i lokken. Een geurig prieel op de juiste plaats is uitstekend voor de feng shui in uw tuin.

Bomen

ALS U EEN *ruime tuin hebt, is de kans groot dat u er een of meerdere bomen in hebt. Alles wat leeft zorgt voor een goede feng shui, dus bomen zijn prima. Ze lokken de natuur in de vorm van vogels en insecten, en zorgen tevens voor beweging en geluid als ze meedeinen in de wind. Sommige bomen zijn echter beter voor de feng shui dan andere, dus als u nieuwe bomen wilt, overweeg dan goed welke soort u neemt.*

RECHT OF ROND?

Ch'i stroomt liever in kronkels en bochten dan in rechte lijnen, dus kies bomen die eerder rond van vorm zijn dan recht omhoog groeien. De eik is een klassieke feng shui boom, net als de esdoorn en de magnolia. Hoge, rechte coniferen kunt u daarom maar beter vermijden. Ze zorgen vaak voor dichte begroeiing met donkere schaduw aan de onderkant waarin de ch'i vastloopt.

Naast de vorm van de boom zelf is ook die van de bladeren van belang. Ook hier geldt: hoe ronder, hoe beter. Eiken hebben prachtige gewelfde bladeren, net als meidoorns en kastanjes. Dennen-bomen hebben scherpe naalden die de ch'i kunnen prikkelen; en bomen als wilgen met lange, dunne bladeren zijn minder geschikt, tenzij u de ch'i in dat gedeelte wilt stimuleren.

BOMEN HEBBEN HUN EIGEN CH'I

Alles heeft zijn eigen ch'i, en hoe groter en ouder de boom, hoe sterker zijn ch'i is. In deze bomen bevindt zich de wijsheid van jaren, en de Chinezen zeggen dat een oude boom altijd gerespecteerd moet worden, ongeacht de soort en de plaats waar hij staat.

Hak nooit een oude boom om en snoei hem nooit rigoureus, tenzij het nodig is om zijn leven te redden. De ch'i in uw tuin is allang gewend om langs deze boom te stromen. Grijp niet in, tenzij het

boven: *De gevallen bloembladeren vormen een cirkel rond de magnolia, zodat de ronde vorm weer terugkomt en een reflectie lijkt van de bijna doorzichtige bloemen.*

om een conifeer gaat waarvan de onderste takken op de grond hangen en die de ch'i vasthouden. Breng in dit geval een licht-remedie aan in de vorm van zilverkleurige glazen ballen die u aan de onderste takken hangt.

Struiken en Klimplanten

STRUIKEN EN KLIMPLANTEN *zijn belangrijk omdat ze de ruimte tussen de hoge bomen en de lage bloemsoorten en borderplanten overbruggen, zodat de ch'i gelijkmatig door de tuin stroomt, zowel verticaal als horizontaal. Struiken en klimplanten breng balans in de tuin doordat hun schaduw minder overheerst dan die van hoge bomen.*

boven: *Klimplanten verzachten de muur en vormen een groene achtergrond voor een stenen ornament.*

Struiken zijn vaak de grootste planten in een kleine tuin, en in een grote tuin zijn ze ook belangrijk. Net als bij bomen gaat het vooral om de totaalvorm van de struik; kies ronde vormen zoals de Mexicaanse oranjebloesem, jasmijn of salie. Bekijk daarna de vorm van de bladeren; kies liever ronde dan puntige bladeren. Veel struiken en klimplanten verspreiden een heerlijke geur, een kenmerk dat essentieel is omdat dit de ch'i lokt en hem harmonieuzer laat stromen.

GROENBLIJVENDE PLANTEN

Kleur en leven in de tuin zijn het hele jaar door belangrijk, en groenblijvende planten zijn vooral waardevol voor de feng shui. Struiken die de hele winter groen blijven, zijn altijd de moeite waard, ook al is de vorm van de plant of het blad niet ideaal – het feit dat ze groen blijven brengt dit in evenwicht. Hulst is ideaal, net als laurier, buxus en liguster. Als groenblijvers ook nog geuren, maakt dit ze extra waardevol. Zo zijn rozemarijn en lavendel perfect om de ch'i het hele jaar door in beweging te houden, ondanks hun stakerige blad.

TOPIARY

Veel struiken, zoals buxus, kunnen in be-paalde vormen gesnoeid worden om de ch'i beter te laten stromen. Kies gewelfde vormen, zoals spiralen en bollen. U kunt de ch'i aan het eind van een heg of op een hoek beter leiden door een topiaryvorm toe te passen.

KLIMPLANTEN

Klimplanten zijn ideaal om randen en hoeken van gebouwen of tuinstructuren te verzachten. U kunt ze ook tegen bomen op laten groeien om de ch'i wat af te remmen. Ze zorgen ook voor verstrooide schaduw onder bomen, bogen en pergola's. Doorn-planten kunt u beter niet kiezen behalve wanneer ze, zoals rozen, een sterke geur verspreiden die het scherpe effect van de doornen compenseert. De meest geschikte klimmers zijn clematis en kamperfoelie,

bove: *Clematis, met zijn ronde bloemen en bladeren en zijn klimranken, werkt uitstekend tegen een gladde boomstam.*

beide met prachtige ronde bladeren, en blauwe regen en jasmijn vanwege hun geur.

Groenblijvende planten, zoals klimop en sommige soorten clematis en kamper-foelie, creëren het hele jaar door uitste-kende feng shui.

Borderplanten

E EN VAN DE HOOFDELEMENTEN *in de meeste tuinen zijn bloemen, zowel een- als meerjarige, in bloembedden. Ze verschaffen een tuin leven, geur en kleur en lokken insecten en bijen. Besteed net als bij bomen en struiken aandacht aan de totaalvorm van de plant en de vorm van de bladeren. Aangezien het meestal vooral om de bloemen gaat, is de vorm hiervan ook heel belangrijk.*

BLOEMVORMEN

Hoe ronder de bloem, hoe beter voor de ch'i; anemonen, klaprozen, margrietachtige bloemen, pioenrozen en rozen zijn hier een goed voorbeeld van. Planten met stakerige bloemen zijn beter om een vastgelopen ch'i wat op te peppen; bijvoorbeeld vingerhoedskruid (zeer nuttig op schaduwrijke plekken waar de ch'i wat traag is), schildpadbloemen en lupines.

Hoge bloemen met stakerige bladeren zoals de iris kunnen het best worden toegepast waar de ch'i gestimuleerd moet worden, wellicht in het slaperige, noordelijke deel van uw tuin. Als u hoge bloemen wilt zonder de ch'i te stimuleren, kies dan soorten die in z'n geheel recht en stakerig zijn maar waarvan de bloemen rond zijn om de ch'i harmonieus te laten stromen. Voorbeelden hiervan zijn stokrozen en ridderspoor.

Alle welriekende bloemen zijn goed voor de ch'i, ongeacht de vorm van de plant of de bloem – de geur is het belangrijkst. Daarom is het altijd goed om bloemen als lelies, anjers, lathyrus en violieren te planten.

DE TUIN IN DE WINTER

Het is heel belangrijk om het hele jaar door leven in de tuin te hebben. Laat bloembedden niet maandenlang leeg staan, want dit heeft een dodelijk effect op de ch'i. Het deel van uw leven dat door dit deel van de tuin wordt beïnvloed, zal dan de hele winter stagneren. Daarom is het beter geen grote stukken

boven: *Een goed geplande border heeft het hele jaar door iets te bieden. Irissen en stakerige bladeren op de juiste plaats kunnen een border op een slaperige plek tot leven wekken.*

tuin met alleen zomerbloemen te beplanten, maar er andere planten tussen te zetten. Planten die 's winters hun bladeren houden, zoals euphorbia, zijn heel geschikt.

Probeer ervoor te zorgen dat er altijd het hele jaar door een paar bloemen bloei-en. Kies winterbloeiende planten zoals kerstrozen, bergenia's (schoenlappersplant), winterheide, sneeuwklokjes en primula's, en flink wat voorjaarsbollen.

DEEL DRIE

Soorten Tuinen en Tuinindelingen

De Moestuin

V EEL MENSEN KWEKEN *graag hun eigen groenten en fruit – het is goedkoop, gezond en leuk. U kunt van uw hele tuin een productieve tuin maken, met snijbloemen naast groenten en fruit. Op deze bladzijden vindt u een ontwerp voor zo'n tuin op het zuiden. U kunt het gemakkelijk aanpassen als uw tuin in een andere windstreek ligt.*

Deze tuin is vierkant, maar het totaalontwerp is gebaseerd op een groot rond bed in het midden van de tuin, onderverdeeld in vier stukken. Drie ervan kunnen worden gebruikt voor wisselbouw van groenten, en de vierde als vaste plek voor fruit als frambozen en aardbeien. In het midden hiervan staat een metalen koepel waar de planten tegenop geleid kunnen worden. Dit geeft de tuin een middelpunt voor de ch'i om door en langs te kunnen stromen.

De muren en hekken rondom de tuin worden verzacht door de fruitbomen. Schaduw wordt verschaft door vier rozenbogen, elk aan het eind van een pad dat naar het middelpunt voert, met klimplanten ertegen. De centrale koepel zelf verleent ook schaduw.

De paden zijn gemaakt van baksteen in visgraatpatroon. De kleur is tamelijk donker, om te voorkomen dat de zuidelijke yang ch'i te sterk wordt. De rijen met groenten en fruit zelf zijn aangelegd in rechte hoeken ten opzichte van elkaar, zodat de ch'i niet te sterk in een bepaalde richting wordt gestuurd. Het ronde element van deze tuin verhindert ook dat de ch'i in al te rechte lijnen wordt gedwongen.

hiernaast: *Lage twijgenhekjes als afscheiding in de moestuin; de geringe hoogte en open structuur zwakken de ch'i iets af zonder hem helemaal te blokkeren.*

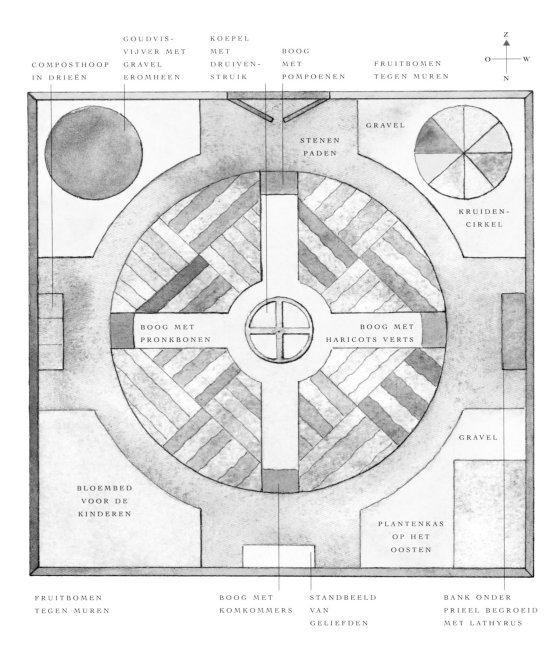

COMPOSTHOOP
IN DRIEËN

GOUDVIS-
VIJVER MET
GRAVEL
EROMHEEN

KOEPEL
MET
DRUIVEN-
STRUIK

BOOG
MET
POMPOENEN

FRUITBOMEN
TEGEN MUREN

Z

O — W

N

GRAVEL

STENEN
PADEN

KRUIDEN-
CIRKEL

BOOG MET
PRONKBONEN

BOOG MET
HARICOTS VERTS

GRAVEL

BLOEMBED
VOOR DE
KINDEREN

PLANTENKAS
OP HET
OOSTEN

FRUITBOMEN
TEGEN MUREN

BOOG MET
KOMKOMMERS

STANDBEELD
VAN
GELIEFDEN

BANK ONDER
PRIEEL BEGROEID
MET LATHYRUS

DE ACHT PAH KWA GEBIEDEN

1 Roem: Omdat de tuin op het zuiden ligt, is de ingang in het roemgedeelte en dat is de ideale plaats.

Smeedijzeren hekken laten voldoende yang ch'i binnen en zorgen dat hij niet te sterk wordt.

2 Gezondheid en geluk: Dit is de ideale plaats voor een kruidentuin, waarbij de kruiden in een cirkel te midden van gravel zijn geplant. Veel kruiden zijn zowel geneeskrachtig als geschikt voor de keuken, dus deze plek is perfect.

3 Plezier en vermaak: Een moestuin is bewerkelijk, dus een zitje om lui te genieten van de productie is wel op z'n plaats. Het prieel is begroeid met lathyrus. De geur lokt de ch'i, en de bloemen kunnen rustig afgeknipt worden, aangezien dit de bloei stimuleert.

4 Nieuw begin: Dit is de plek voor een plantenkas, met eromheen gravel dat lichter van kleur is dan de stenen paadjes, om de ch'i tot in de hoeken van de tuin te leiden.

De kas ligt op het oosten waar hij 's ochtends zon krijgt.

5 Relaties: Op het relatiegedeelte staat een standbeeld van twee geliefden in een omhelzing. Het vormt ook een blikvanger voor iedereen die de tuin binnenkomt.

6 Kinderen en familie: Dit is de plek waar kinderen hun eigen bloembed kunnen zaaien met zonnebloemen, boontjes en andere bloemen en groenten die kinderen aanspreken. U kunt ook een klein schuurtje voor ze plaatsen waar ze hun eigen gereedschap in bewaren.

7 Wijsheid en ervaring: Dit deel van de tuin is voor de composthoop. Een moestuin levert heel wat afval dat gebruikt kan worden om de tuin te bemesten. Dit is een goede plek om afval te laten composteren.

8 Welstand: Een moestuin heeft een vijver nodig om natuurlijk leven te lokken. Als u geluk hebt komen er kikkers en padden op af, die u van slakken en andere plagen verlossen. De Chinezen brengen vis in verband met geld, omdat de woorden voor 'vis' en 'geld' erg op elkaar lijken, dus een visvijver in dit deel wordt als zeer gunstig beschouwd.

De Gezelligheidstuin

ALS U GRAAG *familie of vrienden uitnodigt, wilt u waarschijnlijk een tuin die hierop ingericht is. Er is geen reden waarom zo'n tuin niet een perfecte feng shui zou hebben, zolang u er maar voor zorgt dat elk deel op de juiste manier gebruikt wordt. Het gedeelte op het westen is ontworpen voor allerlei gezelligheidsactiviteiten.*

Het eerste wat hier moet gebeuren is de mogelijk storende ch'i uit het westen waar hij de tuin binnenkomt kalmeren. Dit is gebeurd door een hoog houten hek dat onderaan massief is en van boven open. Dit vertraagt de ch'i voor hij de tuin instroomt.

Een van de beste manieren om de ch'i uit het westen wat af te remmen is een scherm net iets binnen het hek te plaatsen. Dit dwingt de ch'i niet alleen af te buigen naar de tuin, maar biedt ook privacy als het hek op een straat uitkomt. Hier wordt een scherm opgetrokken van klimplanten. De ch'i wordt naar de kalme visvijver geleid waar hij nog meer tot rust wordt gebracht.

In de tuin zelf is een groot stuk gras om op te spelen, om kinderen te laten kamperen of gewoon om te zonnebaden; een patio om te eten en lekker te zitten; en bloembedden als prachtige omgeving. De tuin is ontworpen met veel ronde vormen om de ch'i te lokken en harmonieus te laten stromen. Met behulp van een pergola, begroeid met klimplanten, is een schaduwdeel gecreëerd en fruitbomen achter in de tuin zorgen voor verstrooide schaduw.

hiernaast: *Voorbeeld van een gezelligheidstuin.*

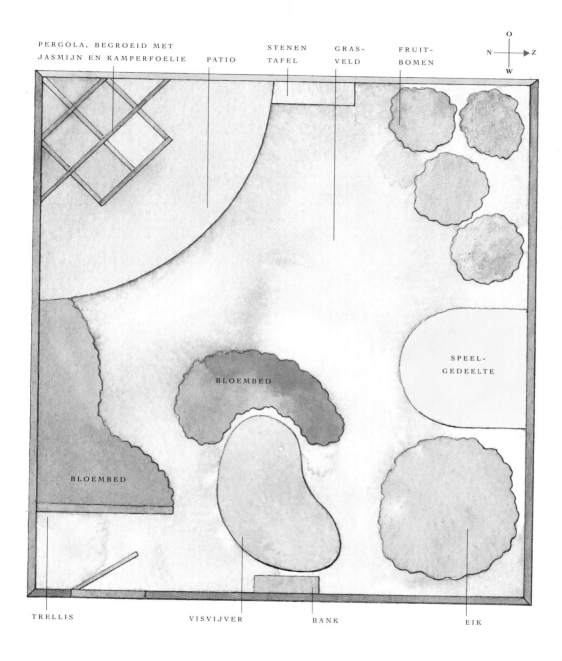

PERGOLA, BEGROEID MET
JASMIJN EN KAMPERFOELIE

PATIO

STENEN
TAFEL

GRAS-
VELD

FRUIT-
BOMEN

O
N → Z
W

BLOEMBED

BLOEMBED

SPEEL-
GEDEELTE

TRELLIS

VISVIJVER

BANK

EIK

DE ACHT PAH KWA GEBIEDEN

1 Roem: De ingang ligt op het westen, waar uw reputatie een beetje onvoorspelbaar kan worden. De trellis in het hek breekt de gevaarlijke ch'i uit deze richting waardoor een stabielere, betrouwbaarder reputatie kan ontstaan.

2 Gezondheid en geluk: Hier is een bloembed dat zou moeten worden gevuld met al uw lievelingsbloemen en geurige bloemen als lelies, anjers en lavendel. U kunt hierin ook kruiden kweken.

3 Plezier en vermaak: Hier is het goed ontspannen. De barbecue kan op de patio staan, samen met een tafel en stoelen. De hoek wordt overschaduwd door een pergola vanaf de muur, begroeid met geurige jasmijn en kamperfoelie. De patio is gemaakt van flagstones waar bloemen tussen kunnen bloeien; dit kan het stenen vlak enigszins breken. Zaai hier bloemen als juffertje-in-het-groen en Oostindische kers.

4 Nieuw begin: Hier staat een stenen tafel tegen de muur voor maaltijden buiten. Er kunnen borden en salades op gezet worden, en u kunt het eten voor de barbecue erop bereiden.

5 Relaties: Hier bevindt zich een kleine boomgaard, om te zorgen dat uw relaties vrucht dragen. De bomen bieden een aangename, lichte schaduw.

6 Kinderen: Dit is het speelgedeelte voor de kinderen of de kinderen van gasten. Er ligt houthaksel voor de veiligheid en er staat een schommel, een glijbaan en een klimrek.

7 Wijsheid en ervaring: Een grote eik staat in deze hoek van de tuin. Hij verschaft verkoelende schaduw, trekt natuurlijk leven aan en biedt, net als alle andere oude bomen, een weelde aan wijsheid en ervaring die de ch'i voor u en uw gezin kan beïnvloeden.

8 Welstand: In dit gedeelte is een visvijver aangelegd, het klassieke Chinese symbool voor rijkdom.

Er staat ook een bank om rustig op te zitten en naar de vissen te kijken en om meer ontspannen te kunnen zitten dan in het patiodeel.

Aan de andere kant van de vijver is een bloembed dat het uitzicht versluiert en dat een gevoel van privacy biedt.

hiernaast: Een rond zitje op een bestraat deel, dat verzacht wordt door laaggroeiende bloemen en planten, is ideaal voor een gezellig samenzijn met familie en vrienden.

De Romantische Tuin

EEN ROMANTISCHE TUIN *lokt minnaars met zijn charme, zoete geuren en een vredige atmosfeer. Ook de ch'i voelt zich hier thuis; als er een beetje is nagedacht over de plaatsing van de verschillende onderdelen heerst er meestal een uitstekende feng shui. De tuin die u hier ziet, ligt op het oosten, naar de vriendelijke, wijze ch'i van de Groene Draak. Hij is niet helemaal regelmatig van vorm; het welstandsgedeelte ontbreekt en er is een verlenging in het gezondheid- en gelukgedeelte.*

Deze tuin is vol ronde vormen om de ch'i van het ene deel naar het andere te leiden. Er is in het midden een open gazon, omringd door een aantal afgeschermde plekjes als een prieel, een vijver en een plaatsje om gezellig bij elkaar te zitten.

In de bloembedden staan geurige bloemen maar ook struiken die wat hoger groeien zodat je niet over de bedden heen kunt kijken en die daardoor privacy verschaffen. De paden zijn van stenen, gelegd in visgraatpatroon, zodat de ch'i niet slechts één kant op gestuurd wordt.

Net als in alle goede feng shui tuinen, bevindt zich hier water. Een fontein spuit water van de muur in een grote boog die uitkomt onder een bruggetje in de vijver, die zich in het verlengstuk van de tuin bevindt. De beweging van het water en de vorm van de stroom geven het idee dat dit deel onderdeel uitmaakt van het totaal, in plaats van alleen achterin. Deze indruk wordt versterkt door het gebruik van stenen plaveisel dat over het water heen een verbinding vormt met de binnentuin.

DE ACHT PAH KWA GEBIEDEN

1 Roem: De ingang is breed met een dubbele poort op halve hoogte, om voldoende zachte, wijze ch'i uit het oosten binnen te laten komen.

2 Gezondheid en geluk: Dit deel bevindt zich in een uitloper van de tuin. Er is een vijver met een opgehoogde rand om op te zitten, waar het geluid en de frisheid van het water ontspannend en verfrissend kunnen werken.

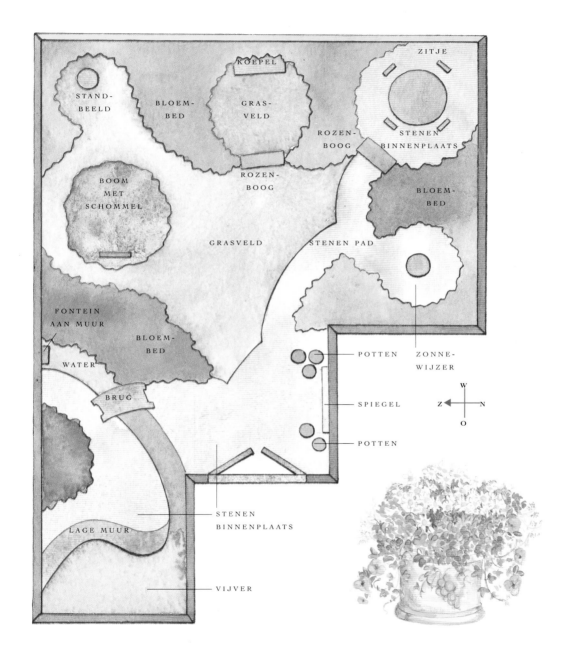

STAND-
BEELD

BLOEM-
BED

KOEPEL

GRAS-
VELD

ZITJE

ROZEN-
BOOG

STENEN
BINNENPLAATS

ROZEN-
BOOG

BOOM
MET
SCHOMMEL

BLOEM-
BED

GRASVELD

STENEN PAD

FONTEIN
AAN MUUR

BLOEM-
BED

POTTEN

ZONNE-
WIJZER

WATER

SPIEGEL

BRUG

W

Z ◄ N

O

POTTEN

STENEN
BINNENPLAATS

LAGE MUUR

VIJVER

3 Plezier en vermaak: Een grote boom biedt verkoelende schaduw. Aan een van de takken hangt een schommel als bron van vermaak. Dit is het zuidelijke, yang gedeelte van de tuin.

4 Nieuw begin: Dit is een afgesloten hoekje van de tuin, met een groot grasveld omringd door geurige bloembedden. Er staan veel bloemen die in de vroege avond heerlijk ruiken, zoals violieren en het nachtviooltje, die u eraan herinneren dat dit tijdstip misschien wel het fijnste van de dag is. Midden in het grasveld staat een beeld van Venus, godin van de liefde.

5 Relaties: Dit deel is te bereiken via een rozenboog. Een rond gazon wordt omringd door bloembedden met daarachter struiken die hoog genoeg zijn om een gevoel van privacy te bieden. Achterin, tegen de muur, staat een boog. Een romantisch bankje wordt omringd door kamperfoelie en jasmijn tegen een rustiek houten frame.

6 Kinderen en familie: Dit is dé plek voor gezelligheid. Een ronde stenen binnentuin is net groot genoeg voor een tafel met stoelen om buiten te zitten of met vrienden en familie te eten.

7 Wijsheid en ervaring: Dit is ook een privé-zitje, deze keer met een zonnewijzer die de wijsheid en ervaring vertegenwoordigt die tijd met zich meebrengt. Hij wordt omringd door bloembedden maar de meeste planten, behalve de struiken die een afscherming vormen van het zitje, zijn laaggroeiende kruiden. Dit is een geschikte plek voor kruiden, omdat kennis hierover een zeer wijze en oude traditie vertegenwoordigt.

8 Welstand: Dit gedeelte ontbreekt in de tuin, maar wordt gecompenseerd door een manshoge spiegel aan de muur van de binnentuin te bevestigen. De reflectie geeft de indruk dat er toch een stuk tuin is op het punt waar het welstandgedeelte ontbreekt. De spiegel gaat schuil achter een trellis met groenblijvende klimop, andersoortige klimplanten en potten met varens. In de spiegel wordt de fontein, symbool van rijkdom, gereflecteerd. De brug is er ook in te zien, waardoor de indruk dat het noordoostelijk deel toch aanwezig is nog eens wordt versterkt.

links: *Geurige planten hebben iets heel romantisch. Lavendel geurt overdag, en violieren en nicotiana (nog niet in bloei) verspreiden 's avonds hun geur.*

De Kindertuin

KINDEREN HEBBEN *een tuin nodig met allerlei voorzieningen om hun fantasie te prikkelen. Een goed ontworpen tuin voorziet hierin, en een goede feng shui verschaft de nodige veiligheid voor hun spel. Deze tuin heeft voor kinderen alles om te spelen en te leren, zowel individueel als met elkaar. Er staan veel bomen, die de yang ch'i uit het zuiden breken en kalmeren.*

De bomen bieden een beschutte plek waar de ch'i harmonieus en niet te snel stroomt zodat een rustige, veilige plaats om te spelen ontstaat. Het noorden van de tuin is open gehouden om de yin ch'i uit die richting niet te laten stagneren. De meeste bomen staan in het westelijk deel, waar ze een kalmerend effect hebben op de onvoorspelbare ch'i uit die richting. Het zijn allerlei soorten bomen die de ch'i gemakkelijk door hun takken kunnen laten stromen – vooral beuken, eiken en kleine fruitbomen.

Deze tuin zou heel geschikt zijn voor kinderen die groot genoeg zijn om veilig bij het water te spelen. Hij kan echter gemakkelijk worden aangepast voor kleinere kinderen, door het water zeer ondiep te houden, en wellicht de vijver weg te laten of er een metalen omheining omheen te maken zodat ze er niet in kunnen vallen.

De schuilplek is gemaakt door wilgenscheuten aan weerszijden in de grond te steken en naar elkaar toe te buigen tot een boogvorm.

boven: *Feng shui kan de kinderspeelplaats veiliger en leuker maken. De sfeer moet levendig, doch kalm genoeg zijn.*

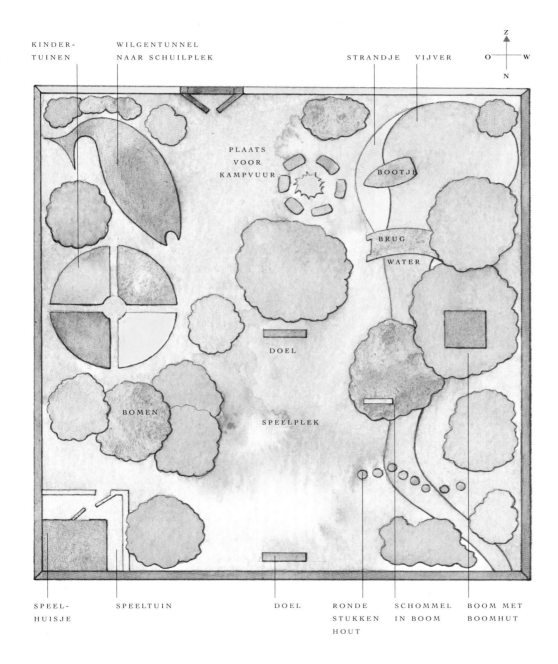

KINDER-
TUINEN

WILGENTUNNEL
NAAR SCHUILPLEK

STRANDJE   VIJVER

Z
O   W
N

PLAATS
VOOR
KAMPVUUR

BOOTJE

BRUG

WATER

DOEL

BOMEN

SPEELPLEK

SPEEL-
HUISJE

SPEELTUIN

DOEL

RONDE
STUKKEN
HOUT

SCHOMMEL
IN BOOM

BOOM MET
BOOMHUT

Levende wilgen schieten wortel en blijven op deze manier groeien. Nieuwe scheuten kunnen tussen de oude takken in gevlochten worden zodat een nog steviger structuur ontstaat.

DE ACHT PAH KWA GEBIEDEN

1 Roem: De ingang ligt in het zuiden van de tuin, en in het roemgedeelte is een plek voor een kampvuur van blokken hout waar kinderen 's avonds eten kunnen roosteren en elkaar verhalen vertellen. Het houtvuur geeft de aanwezigheid van de kinderen aan en past daarom goed in het roemgedeelte.

2 Gezondheid en geluk: Hier bevindt zich een rustige vijver met een klein kiezelstrand en een roeibootje. Een bruggetje tussen de vijver en het stroompje symboliseert het feit dat goede gezondheid en geluk ieder aspect van het leven moeten verbinden.

3 Plezier en vermaak: Dit houtige deel, waar een waterpartij doorheen stroomt, bevat een boomhut waarin de kinderen hun fantasie de vrije loop kunnen laten. Zo'n hut kan gemaakt zijn van palen om langs omlaag te glijden, ladders, touwbruggetjes en verder alles wat kinderen stimuleert. Aan de boom ernaast hangt een schommel.

4 Nieuw begin: De stroom begint in dit deel van de tuin en er kan overgestoken worden via de ronde stukken hout (stap-'stenen').

5 Relaties: Dit deel van de tuin is vrij gehouden voor sport en spel, met een doel aan beide uiteinden. Bij voetbal moeten de kinderen bijvoorbeeld leren samen te spelen.

6 Kinderen en familie: Dit is de plek om vader-en-moedertje te spelen, en in de hoek staat een speelhuis met een eigen tuintje ervoor, omgeven door een staketselhek.

7 Wijsheid en ervaring: Een rond bloembed voor de kinderen om te leren tuinieren. Er is voor elk kind een eigen tuintje.

8 Welstand: Een enorme vis, die rijkdom symboliseert, gemaakt van gevlochten wilgentakken, is een schuilplaats die aan beide kanten open is, zoals een tunnel. De wilg groeit nog, en doet het goed in het zuidoostelijk deel, waar een remedie in de vorm van leven het meest effectief is.

rechts: Hoge bloemen met hun kleuren en verstrooide schaduw hebben een gunstig effect op de zandbak, en zorgen voor een rustige speelplek.

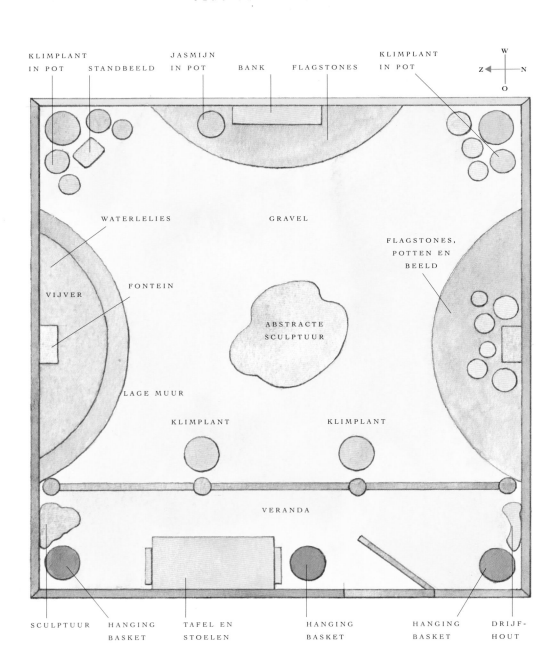

KLIMPLANT IN POT   STANDBEELD   JASMIJN IN POT   BANK   FLAGSTONES   KLIMPLANT IN POT

W
Z — N
O

WATERLELIES   GRAVEL

FLAGSTONES, POTTEN EN BEELD

VIJVER   FONTEIN

ABSTRACTE SCULPTUUR

LAGE MUUR

KLIMPLANT   KLIMPLANT

VERANDA

SCULPTUUR   HANGING BASKET   TAFEL EN STOELEN   HANGING BASKET   HANGING BASKET   DRIJF-HOUT

De Binnentuin

VEEL STADSHUIZEN HEBBEN *een kleine tuin, volledig ingesloten en slechts toegankelijk vanuit het huis. Deze tuinen zijn vaak te klein voor een gazon en hebben maar weinig ruimte voor een zitje of voor bloembedden. Chinese huizen zijn echter vaak gebouwd rond een centrale binnentuin, en de feng shui van dit soort tuin beschouwt men van oudsher als zeer gunstig. De tuin die hier wordt besproken is alleen vanuit het huis aan de oostkant toegankelijk en wordt omringd door hoge muren.*

Ch'i heeft een hekel aan rommel – die beperkt zijn beweging – dus zorg in een kleine tuin dat alles altijd opgeruimd is. Repareer een gebroken trellis, geef de achterdeur regelmatig een likje verf, ruim vuilnis of andere rommel op en zet planten in mooie potten.

Niet iedere tuin hoeft alle acht elementen voor de pah kwa te bevatten; wel belangrijk is dat er geen ongeschikte elementen aanwezig zijn, zoals een verbrandingsplaats in het geldgedeelte (behalve als u genoeg geld te verbrassen

hebt). Een goede feng shui die de ch'i tot een harmonieuze beweging aanzet is alles wat u nodig hebt.

Een kleine tuin als deze zal niet te veel elementen herbergen, die ook nog eens op de juiste plek moeten staan.

Er is weinig ruimte voor bloembedden, dus staan de planten in potten. De muren van deze binnentuin zijn hoog, en deze worden verzacht door klimplanten in de hoeken.

Een veranda met glazen dak is tegen de muur geplaatst zodat men ook bij nat weer buiten kan zitten. Er ligt gravel met flagstones. In het midden staat een abstract kunstwerk met een gat in het midden waar de ch'i goed doorheen kan.

hiernaast: *Voorbeeld van een binnentuin.*

DE ACHT PAH KWA GEBIEDEN

1 Roem: De achterdeur komt uit op de flagstone veranda, die bij elk type weer gebruikt kan worden. Aangezien deze op het oosten ligt, waar het element hout zich thuisvoelt, wordt de veranda gesteund door houten palen.

2 Gezondheid en geluk: De tafel en stoelen staan in het gedeelte gezondheid en geluk. In de hoek erachter hangt een hanging basket, die de ch'i de hoek om leidt zodat hij niet blijft steken in de achterste hoek van de veranda. De achterste muur bevat ook een abstract modern kunstwerk met ronde vormen.

3 Plezier en vermaak: Hier is een vijver die voortkomt uit een fontein in de muur in de vorm van een kop waar water uit spuit. De rand is opgehoogd om op te kunnen zitten.

4 Nieuw begin: In de hoek van de tuin staat een standbeeld omringd door bloempotten met groenblijvende planten erin, onder meer met een klimplant die tegen de muren groeit.

5 Relaties: In dit deel staat een bank

boven: *Klim- en andere planten in opgehoogde bedden rond een opgeruimd middenstuk bieden een uitstekende feng shui.*

op een halve cirkel van flagstones. De bank is van metaal, het element dat thuishoort in het westen. Een geurige jasmijn groeit tegen de muur erachter.

6 Kinderen en familie: Een groep bloempotten breekt deze hoek en een klimplant groeit tegen een trellis aan de muur.

7 Wijsheid en ervaring: Hier staat een standbeeld van Athene, godin van de wijsheid, op een sokkel. De muren erachter zijn overdekt met klimop.

8 Welstand: In deze hoek hangt een hanging basket om de ch'i in beweging te houden. Op het uiteinde van de veranda ligt ook een groot stuk drijfhout. Dit dient om eraan te herinneren dat het geluk soms onverwacht komt en dat men er niet altijd iets voor hoeft te doen.

links: Zelfs een kleine stadstuin kan een tuinhuisje herbergen op een zonnige plek. Trellisschermen geven een open gevoel en schermen de tuin toch mooi af.

De Zentuin

JAPANSE ZENTUINEN *hebben veel gemeen met de kunst van feng shui, ondanks het feit dat ze voortkomen uit een heel andere cultuur. Het is moeilijk een goed voorbeeld van een Zentuin te vinden die niet ook een goede feng shui heeft. Zulke tuinen zijn vredig en meditatief en laten de ch'i zacht circuleren zodat een prettige balans van licht en schaduw ontstaat. Deze tuin op het oosten is relatief klein; een Zentuin vraagt niet per se veel ruimte.*

Veel mensen brengen Zentuinen in verband met grote vlakken geharkt gravel en stenen. Dit zijn de zogenaamde 'droge tuinen'; het gravel vertegenwoordigt water en yin, en de stenen land en yang. Maar dat is niet de enige soort Zentuin. Deze tuinen kennen een zeer goede feng shui maar ch'i voelt zich het prettigst in een tuin met wat meer leven en groen, en echt water. De Zentuin hier is nog heel eenvoudig, en ontworpen voor meditatie.

Er is een vijver in het midden, om-

links: *Een Zentuin kan op het kleinste stukje grond gecreëerd worden en verschaft een goede meditatieplek.*

hiernaast: *Een Zentuin kan bestaan uit een sobere combinatie van geharkt gravel en stenen, maar groen is altijd een welkome aanvulling.*

THEE-
HUISJE

SCHOENEN-
STEEN

MOS

STENEN
BEELD

RUSTSTEEN

KEIEN EN
MOS

ESDOORN

W

Z ← → N

O

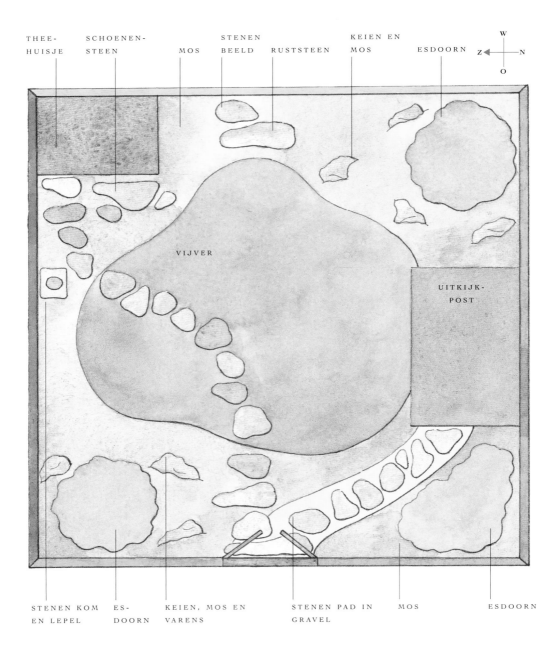

VIJVER

UITKIJK-
POST

STENEN KOM
EN LEPEL

ES-
DOORN

KEIEN, MOS EN
VARENS

STENEN PAD IN
GRAVEL

MOS

ESDOORN

ringd door mos en varens. De vijver is zeer ondiep, en de bodem is bedekt met kiezelstenen die door het water heen te zien zijn. Er zit ook vis in, en een briesje brengt rimpelingen op het oppervlak. Het hek rond de tuin is gemaakt van bamboe.

Aan de westkant staan twee grote rotsblokken. Deze zijn essentieel in een Zentuin – ze zijn yang, en water is yin – en men schrijft elk ervan een eigen karakter toe. Hoe meer tekenen van ouderdom, zoals erosie en mos, hoe beter. Bepaalde vormen acht men extra gunstig voor meditatie.

DE ACHT PAH KWA GEBIEDEN

1 **Roem:** De ingang vanuit het huis naar de tuin is op het oosten en er lopen meerdere paden naartoe. Dit deel is open en ruimtelijk.

2 **Gezondheid en geluk:** In deze hoek van de tuin groeien mos en varens tussen oude rotsblokken begroeid met korstmos.

3 **Plezier en vermaak:** Het stenen looppad in de vijver loopt naar dit deel van de tuin. De rand langs de vijver is begroeid met mos en het bamboe hek erachter is van daaraf te zien.

4 **Nieuw begin:** Voor het theehuisje staat een stenen kom met een lepel om hand en mond te spoelen, zodat iedereen er gereinigd binnen kan gaan. Er is ook een 'schoenensteen' waarop men zijn schoenen achterlaat bij het binnengaan. De ingang is laag, zodat men zich klein en nederig moet maken om binnen te komen. Dit theehuis heeft een ronde ingang en opengewerkte bamboe matten zodat de ch'i er in en uit kan stromen.

5 **Relaties:** In dit deel staat een hoge steen achter een lange, lage rots, die aan een kant hoger is dan aan de andere, de zogenaamde ruststeen. De tegenstelling van deze stenen vertegenwoordigt de perfecte relatie van verschillende principes.

6 **Kinderen en familie:** Hier staat een esdoorn achter een aantal met mos begroeide rotsblokken.

7 **Wijsheid en ervaring:** Hier is een uitkijkpost die iets over de rand van de vijver uitsteekt, gemaakt van houten planken. Het is een ideaal punt om de hele tuin te overzien.

8 **Welstand:** Dit deel is begroeid met mos, met een stenen pad in het gravel dat van de ingang naar de uitkijkpost loopt.

Register